L'ordinateur branché à l'école

Du préscolaire au 2e cycle

Marie-France Laberge

Louise Dore

Nathalie Michaud

Chenelière/McGraw-Hill

MONTRÉAL • TORONTO

L'ordinateur branché à l'école
Du préscolaire au 2e cycle

DBN : 1658478

Marie-France Laberge, Louise Dore, Nathalie Michaud

© 2001 Les Éditions de la Chenelière inc.

Coordination : Dominique Lefort
Révision linguistique : Jean-Pierre Leroux
Correction d'épreuves : Lucie Lefebvre
Infographie : Les Communications Abel Typo inc.
Maquette intérieure : Josée Bégin
Illustrations : Yves Boudreau
Couverture : Michel Bérard

Données de catalogage avant publication (Canada)

Laberge, Marie-France, 1958-

L'ordinateur branché à l'école : du préscolaire au 2e cycle

(Chenelière/Didactique. TIC, Technologies de l'information et des communications)
Comprend des réf. bibliogr.

ISBN 2-89461-388-1

1. Enseignement assisté par ordinateur. 2. Informatique - Problèmes et exercices. 3. Enseignement assisté par ordinateur - Logiciels. 4. Informatique - Étude et enseignement (Préscolaire). 5. Informatique - Étude et enseignement (Primaire). I. Dore, Louise, 1955- . II. Michaud, Nathalie, 1968- . III. Titre. IV. Collection.

LB1028.5.L32 2000   372.133'4   C00-941772-9

Chenelière/McGraw-Hill
7001, boul. Saint-Laurent
Montréal (Québec)
Canada H2S 3E3
Téléphone: (514) 273-1066
Télécopieur: (514) 276-0324
chene@dlcmcgrawhill.ca

ISBN 2-89461-388-1

Dépôt légal: 1er trimestre 2001
Bibliothèque nationale du Québec
Bibliothèque nationale du Canada

1 2 3 4 5 A 05 04 03 02 01

Nous reconnaissons l'aide financière du gouvernement du Canada par l'entremise du Programme d'aide au Développement de l'industrie de l'Édition (PADIÉ) pour nos activités d'édition.

L'Éditeur a fait tout ce qui était en son pouvoir pour retrouver les copyrights. On peut lui signaler tout renseignement menant à la correction d'erreurs ou d'omissions.

Table des matières

Introduction

L'intégration des technologies de l'information et des communications (TIC) dans la salle de classe suscite de l'inquiétude et un certain malaise chez nombre d'enseignantes et d'enseignants. Cependant, à mesure que leurs compétences se développent, ils deviennent souvent très enthousiastes.

Depuis quelques années, des groupes d'enseignantes et d'enseignants viennent observer notre façon de travailler en classe, car ils désirent s'ouvrir à de nouvelles approches pédagogiques. Comme l'intégration des TIC prend une place de plus en plus significative dans notre pédagogie, nous avons décidé de partager nos expériences avec vous.

L'ordinateur fait déjà partie de la vie quotidienne des futurs adultes qui fréquentent l'école actuellement. Cet outil qui les fascine est un moyen efficace de susciter leur intérêt et leur permet de jouer un rôle plus actif dans leurs apprentissages.

Pour vivre l'intégration de l'ordinateur en classe sans trop de heurts, nous vous suggérons d'y aller progressivement, à votre rythme. La pratique est cependant essentielle si l'on ne veut pas tout oublier.

Les apprenantes et les apprenants sont emballés par cet outil qui est aussi un média. Leurs réactions sont très stimulantes pour l'enseignante ou l'enseignant.

Les élèves peuvent devenir des agents multiplicateurs très doués. Nous avons observé qu'un pourcentage élevé des élèves maîtrisent très facilement le fonctionnement de ces appareils... Alors partageons les responsabilités avec les élèves et faisons-leur confiance !

La pédagogie centrée sur l'élève

Les enseignantes et les enseignants qui nous visitent émettent souvent les commentaires suivants :

– « Il y a 2 ordinateurs dans ma classe et j'ai 26 élèves... Ça n'a pas de sens. »

– « De quels outils vous servez-vous pour évaluer le cheminement de vos élèves ? »

– « Comment puis-je organiser ma classe ? »

– « Où puisez-vous vos idées ? »

– « Aurons-nous le temps d'atteindre les objectifs d'apprentissage ? »

– « Ce type de pédagogie bénéficie-t-il à tous les types d'apprenantes et d'apprenants en classe ? »

Ces réflexions nous ont amenées à vouloir partager nos expériences en espérant qu'elles pourront vous éclairer dans votre cheminement pédagogique.

Nous pouvons définir notre façon de travailler comme étant une « pédagogie centrée sur l'élève ». L'approche que nous privilégions est l'apprentissage par projets et ateliers. Cela amène l'élève à développer de l'autonomie, de l'engagement et de l'intérêt, et à trouver plus de plaisir dans ses apprentissages. Ce type de fonctionnement permet d'intégrer aisément les activités à l'ordinateur. C'est pour cette raison que nous estimons important de vous décrire ce fonctionnement ci-dessous.

La mise en place du thème

D'abord, un thème est déterminé avec les élèves. L'exploration du thème dure environ trois semaines. L'équipe d'enseignantes et d'enseignants se rencontre, établit les compétences à développer durant cette période, détermine des ateliers signifiants et stimulants et partage les tâches à effectuer pour mettre au point ces activités. Lorsque le schéma est bien structuré, elle démarre le thème en classe.

Trois journées sont consacrées à sa mise en place.

Durant les deux premières journées, les élèves se familiarisent avec les objectifs visés par les activités qu'ils auront à vivre. Voici une liste d'activités proposées :

– Aller à la bibliothèque pour chercher des livres traitant du sujet choisi.

– Présenter aux élèves des lectures sur le sujet.

– Regarder un film sur le sujet.

– Inviter une ou un adulte qui s'intéresse à ce thème.

– Faire des lectures à voix haute.

– Faire des lectures à deux sur le sujet.

– Découvrir des sites Internet en relation avec le sujet.

– Suggérer des activités informatiques reliées à Kid Pix ou à AppleWorks.

– Suggérer des logiciels.

– Amener les élèves à préparer pour les parents de l'information sur les situations qui seront vécues en classe.

– Identifier les équipes par des mascottes significatives.

– Élaborer des ateliers avec les élèves (faire un remue-méninges pour trouver des idées d'activités qui pourraient être vécues par eux pendant l'étude du thème tout en pensant aux compétences sur lesquelles on doit travailler).

– Mettre sur pied des ateliers avec les élèves (les élèves peuvent préparer des planches de jeu, écrire les règles d'un atelier, organiser le coin peinture, etc.).

Plus les élèves participent, plus ils s'intéressent aux activités.

Note : *On entreprend toujours le thème un jeudi, car cela donne aux enseignantes et aux enseignants la fin de semaine pour finaliser des activités ; de leur côté, les élèves peuvent découvrir d'autres pistes dans leur famille.*

Durant la troisième journée, les activités suivantes auront lieu :

– Présenter les ateliers conçus par l'équipe d'enseignantes et d'enseignants.

– Présenter les ateliers conçus par les élèves.

– Établir un calendrier pour les différents ateliers.

– Présenter les compétences et les critères de réussite visés par l'exploration de ce thème. (Il est important de présenter ces compétences et ces critères de réussite aux élèves, car cela leur permettra de mieux participer à l'évaluation à la fin du thème. La question de l'évaluation d'une activité est traitée plus loin.)

Le schéma qui suit illustre les composantes de l'exploration d'un thème. Ce schéma peut être produit pour chacun des thèmes que nous suggérons.

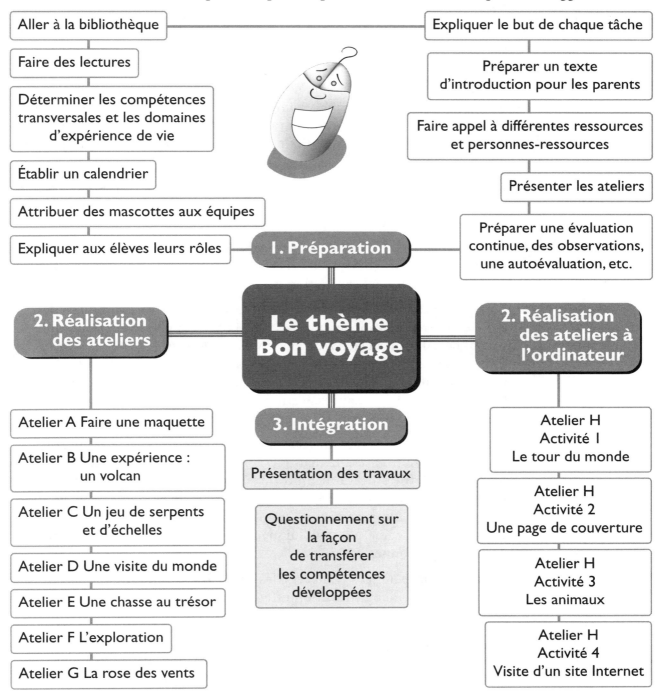

Aller à la bibliothèque

Faire des lectures

Déterminer les compétences transversales et les domaines d'expérience de vie

Établir un calendrier

Attribuer des mascottes aux équipes

Expliquer aux élèves leurs rôles

Expliquer le but de chaque tâche

Préparer un texte d'introduction pour les parents

Faire appel à différentes ressources et personnes-ressources

Présenter les ateliers

Préparer une évaluation continue, des observations, une autoévaluation, etc.

1. Préparation

Le thème Bon voyage

2. Réalisation des ateliers

2. Réalisation des ateliers à l'ordinateur

3. Intégration

Atelier A Faire une maquette

Atelier B Une expérience : un volcan

Atelier C Un jeu de serpents et d'échelles

Atelier D Une visite du monde

Atelier E Une chasse au trésor

Atelier F L'exploration

Atelier G La rose des vents

Présentation des travaux

Questionnement sur la façon de transférer les compétences développées

Atelier H Activité 1 Le tour du monde

Atelier H Activité 2 Une page de couverture

Atelier H Activité 3 Les animaux

Atelier H Activité 4 Visite d'un site Internet

Les ateliers sont très diversifiés en ce qui a trait au matériel et aux tâches. Les élèves auront l'occasion de développer une compétence sociale essentielle : la coopération.

Précisons toutefois que la journée ne se vit pas qu'en atelier. Cette forme de gestion permet de prévoir des périodes en grand groupe pour enseigner des notions de façon explicite.

Des « capsules d'enseignement » se greffent sur les périodes d'ateliers. Durant ces périodes, on demande aux élèves de s'arrêter afin de leur transmettre un contenu notionnel pendant 5 à 10 minutes.

Cette forme de gestion de la classe permet d'aider les élèves en difficulté d'une manière plus personnalisée. On a plus de temps à leur accorder. Les élèves plus doués peuvent vivre les ateliers plus en profondeur, avec plus de rigueur.

Lors des ateliers, les élèves sont continuellement en questionnement. Ils s'interrogent en effet sur ce qu'ils apprennent et sur leur façon d'apprendre. Ils construisent leur savoir. Les camarades deviennent un atout dans ce cheminement, car les élèves plus doués peuvent aider les élèves qui éprouvent des difficultés.

Ce type de gestion de la classe amène le réinvestissement de plusieurs compétences qui ont été développées. On est donc en mesure de reconnaître dans quelle mesure l'élève développe ses compétences.

Parmi ces activités, l'ordinateur prend une place importante. Cet outil intéresse sans contredit les jeunes élèves. Lors de la présentation des ateliers, on alloue du temps à l'explication des activités informatiques.

Lorsqu'on présente un logiciel, sachez que *toute* la classe est *branchée*. L'écoute des élèves semble beaucoup plus grande. Lors de la période des questions, on n'a pas besoin d'en suggérer, car on sent l'engagement de chaque élève. Il s'agit d'une tâche signifiante et motivante. Les élèves découvrent vite par eux-mêmes le but de cette activité. L'ordinateur devient un outil magnifique pour transférer des connaissances acquises et favoriser les interactions de l'élève avec ses camarades et avec l'enseignante ou l'enseignant.

Par exemple, afin de créer une carte postale pour ses grands-parents, un élève réinvestit des notions mathématiques telles que la capacité de reconnaître des formes, travaille sur la notion d'intérieur-extérieur en superposant des images, écrit un message, réinvestit ses compétences en écriture, vérifie sa démarche ou la compare à celle d'une ou d'un camarade. S'il a de la difficulté, une ou un autre camarade peut lui suggérer des solutions qu'il expérimentera. Il doit se questionner.

Plusieurs compétences transversales sont donc explorées, dont celles qui touchent la métacognition. En effet, il est essentiel que l'apprenante ou l'apprenant s'interroge sur sa façon de travailler et d'apprendre pour pouvoir construire et transférer des apprentissages.

Les *compétences d'ordre intellectuel* mobilisent des attitudes telles que la curiosité intellectuelle, le sens de l'effort et le plaisir d'apprendre et de réussir.

Les *compétences d'ordre méthodologique* font appel à la découverte de méthodes et de stratégies et aident à développer certaines attitudes telles que la persévérance et le sens de l'organisation. Les *compétences d'ordre personnel et social* se traduisent par certaines attitudes reliées à l'engagement et à la coopération. Les *compétences d'ordre de la communication* permettent à l'élève d'entrer en relation avec les autres et avec les différents médias (journaux, livres, télévision, vidéo, informatique, etc.).

Le mode de fonctionnement que nous privilégions consiste en l'autoévaluation et la coévaluation. Il amène l'élève à prendre conscience de ses forces et de ses faiblesses. Nous préconisons l'utilisation du portfolio ou du dossier d'apprentissage à cet effet.

À la fin de chaque thème, les élèves peuvent mesurer le changement qui s'est produit et découvrir de nouveaux moyens d'atteindre leur but.

L'ouvrage en bref

Partie 1

Cette partie a pour but de faire découvrir quelques outils des logiciels AppleWorks et Kid Pix Studio aux enseignantes et aux enseignants de même qu'aux élèves. En ce qui concerne les enseignantes et les enseignants, cette partie comprend des démarches simples qui pourront les aider à concevoir des activités et des outils de gestion de la classe. Pour ce qui est des élèves, on leur propose aussi des démarches simples, qui pourront leur être expliquées ; par la suite, celles-ci seront affichées dans le coin ordinateur. Ces activités peuvent se dérouler au début de l'année, pendant des ateliers de sensibilisation au matériel de classe. Les élèves apprendront très vite ces techniques.

Finalement, des affiches de référence peuvent être photocopiées et affichées dans le coin ordinateur pendant l'année scolaire. Ce sont des aide-mémoire autant pour les élèves que pour les enseignantes ou les enseignants.

Partie 2

Nous vous présentons différents thèmes que nous avons expérimentés en classe. Chacun des thèmes est amené par une vue d'ensemble (rubrique « En un coup d'œil »). Des remarques générales et des suggestions visant le thème pourront vous aider à comprendre les buts de son étude et à mieux orienter vos objectifs.

Chacun des thèmes comporte une description du déroulement des ateliers, qu'il s'agisse des ateliers à l'ordinateur ou des ateliers qui ne se font pas à l'ordinateur. Par la suite, nous présentons une démarche plus détaillée des ateliers à l'ordinateur.

Des fiches ayant un lien avec les activités à l'ordinateur complètent le matériel. Elles peuvent servir d'aide-mémoire ou être remplies par les élèves (compte rendu de lecture, autoévaluation des attitudes, autoévaluation des apprentissages, etc.).

Le premier thème présente une démarche particulière et des fiches ayant un lien avec tous les ateliers, que ce soit les ateliers à l'ordinateur ou les ateliers qui ne se font pas à l'ordinateur. Les thèmes suivants proposent une brève description des ateliers qui ne se font pas à l'ordinateur, prolongée dans certains cas par des fiches. Par contre, la démarche des activités proposées dans les ateliers à l'ordinateur est complète (explications et matériel).

Chaque thème comporte sept ateliers (de A à G) et un atelier à l'ordinateur (H) ; on y propose plusieurs idées d'activités reliées à un cédérom ou à un logiciel.

Partie 3

Enfin, nous avons exploré pour vous quelques sites Internet. Les grilles d'évaluation pourront vous faire gagner du temps lors de vos recherches.

Les compétences transversales et les domaines d'expérience de vie

Puisque cet ouvrage est avant tout un guide que les enseignantes et les enseignants utiliseront selon leurs besoins et qu'ils pourront en adapter le contenu à leurs champs d'intérêt et ceux des élèves de même qu'à l'approche qui leur convient, nous avons choisi de ne pas définir à l'avance les domaines d'expérience de vie à exploiter. À chaque thème ou à chaque situation d'apprentissage, l'enseignante ou l'enseignant déterminera donc les domaines d'expérience de vie et les compétences transversales à développer. Celles-ci ont été choisies le plus judicieusement possible, mais là encore, d'autres compétences transversales pourraient être privilégiées par les enseignantes et les enseignants pour chacune des activités.

Lors des situations d'apprentissage, le respect des liens entre les trois éléments du *Programme de formation* (compétences disciplinaires, compétences transversales, domaines d'expérience de vie) permet de mieux assurer le développement cognitif, affectif et social de l'élève. Les domaines d'expérience de vie retenus dans le programme traduisent des priorités en matière d'éducation qui prévalent à l'aube du XXIe siècle. Ils permettent entre autres à l'élève de créer un lien entre sa vie scolaire et sa vie quotidienne à l'extérieur de l'école. Quant aux compétences transversales, elles favorisent les apprentissages et le développement global de l'élève. Elles mobilisent différentes attitudes et se rapportent, selon le cas, à des contenus disciplinaires ou à des domaines d'expérience de vie.

Le *Programme de formation* propose cinq grands domaines d'apprentissage (langues ; mathématique, sciences et technologie ; univers social ; arts ; développement personnel), quatre types de compétences transversales (intellectuel ; méthodologique ; personnel et social ; communication) et huit domaines d'expérience de vie (vision du monde ; santé et bien-être ; orientation et entrepreneuriat ; développement sociorelationnel ; environnement ; consommation ; médias ; vivre ensemble et citoyenneté).

Voici quelques suggestions concernant la gestion du travail à l'ordinateur et la réalisation d'activités collectives :

- Déterminer à l'avance qui aura accès à l'ordinateur d'une fois à l'autre.

- Disposer une liste de noms d'élèves près de l'ordinateur (quand les élèves ont terminé leur activité, ils vont avertir leurs camarades).

- Remplacer de temps à autre le tableau par l'écran de l'ordinateur et grossir la page à 200 %. Les élèves peuvent s'asseoir devant l'écran de l'ordinateur et vivre des situations d'apprentissage. Si possible, se procurer un encodeur-décodeur qui reliera l'ordinateur à l'écran de téléviseur pour les présentations en grand groupe.

- Passer quelques minutes dans un site Internet concernant le thème exploré.

- Créer une banque de mots à l'ordinateur pour une situation d'écriture avec les élèves. Établir une démarche devant eux (règles de vie pour les ateliers, pour les visites à la bibliothèque).

- Écrire avec les élèves une lettre d'information ou de remerciement destinée aux parents.

- Composer une histoire collective directement à l'ordinateur.

- Préparer des affiches sur des notions grammaticales.

En résumé, ce mode de fonctionnement permet de répondre aux champs d'intérêt des élèves, de les faire participer à la gestion de la classe, de réfléchir avec eux sur leur démarche d'apprentissage et sur leurs attitudes face à la tâche, d'utiliser le portfolio, de respecter le rythme de chaque élève et d'utiliser l'ordinateur, qui devient alors un outil stimulant et interactif pour les élèves.

Voici quelques idées d'ateliers faciles à préparer. Il serait intéressant que vous y intégriez certaines tâches à l'ordinateur chaque fois que la situation le permet.

La gestion de la classe

Français-lecture

1. Mettre des livres à la disposition des élèves. Cacher les titres des livres et leur demander d'en inventer après la lecture.

2. Placer des baladeurs et des livres-cassettes dans le coin écoute (demander aux parents, en début d'année, s'ils ont des baladeurs qu'ils n'utilisent plus) afin d'écouter des histoires.

3. Placer quelques livres sur une table. Les élèves lisent une fiche qui correspond à un livre ; on y trouve un extrait du livre et une série de mots qui sont illustrés dans le livre. L'extrait permet aux élèves de déterminer de quel livre il s'agit, ils essaient ensuite de trouver l'image où il y a, par exemple, la mitaine rouge, l'écureuil gris, etc. Ils inscrivent la page à côté du mot (par exemple, écureuil gris, page 15).

4. Placer quelques livres sur une table. Choisir et exposer pour chacun d'eux un objet qu'on trouve dans une illustration. Demander aux élèves d'associer l'objet à l'album correspondant et retenir un des albums pour en faire la lecture.

Français-écriture

5. Jouer à l'acrobate* avec des mots courants.

   * Remplacer le bonhomme pendu par un acrobate que l'on suspendra par les pieds, les mains, le dos, etc.

6. Trouver dans un lexique ou un dictionnaire un mot d'une lettre, un mot de deux lettres, un mots de trois lettres, etc.

7. Trouver un mot d'une lettre, deux mots de deux lettres, trois mots de trois lettres, et ainsi de suite.

8. Donner une page de revue aux élèves. Dire le mot « maman ». Les élèves doivent alors encercler dans la page les lettres correspondant aux lettres qui forment le mot « maman ». On peut utiliser un sablier pour délimiter le temps.

9. Faire des mots en coopération (groupes de quatre ou cinq élèves). Les élèves pigent deux lettres sans les montrer. Au signal, ils doivent composer un mot.

10. Composer des phrases à partir de photographies prises en classe ou dans la cour de récréation.

11. Dresser par écrit l'inventaire des choses qu'il faut apporter lors d'une sortie.

12. Écrire des mots avec les lettres extraites de coupures de journaux ou d'articles de revues.

13. Écrire des textes sur le vécu de la classe destinés au journal de l'école ou aux parents.

14. Placer sur un mur de la classe ou dans le corridor de l'école une grande feuille blanche, puis inviter les élèves à venir y dessiner des graffiti.

15. Écrire les lettres de son nom sur un carton. Former le plus de mots possible avec ces lettres.

16. Trouver une rime avec le nom d'une amie ou d'un ami. Écrire un mot gentil, le glisser dans une enveloppe et le remettre à l'amie ou à l'ami en question ou le cacher pour lui faire une surprise.

Français-communication orale

17. Enregistrer sa voix tandis qu'on lit et s'écouter par la suite.

18. Raconter une histoire, un événement ou une blague, puis s'écouter.

Mathématique

19. Fabriquer des tangrams (casse-tête) en carton ou en bois et les laisser à la disposition des élèves.

20. Estimer des quantités. Placer différents objets (exemples : du maïs soufflé, des petits pois, des bonbons) dans des sacs et demander aux élèves d'estimer les quantités.

21. Placer dans des enveloppes de l'argent de Monopoly. L'élève choisit une enveloppe, l'ouvre, compte combien il y a d'argent. Ensuite, l'élève peut découper dans un catalogue les objets qu'il est possible d'acheter avec ce montant.

22. Déposer dans une boîte différents objets (exemples : clous, vis, bâtonnets à café, clés, attaches à pain, ficelles, crayons, billes, punaises, cailloux, jetons). Demander aux élèves de les classer dans des contenants et de dire pourquoi ils les ont classés ainsi.

23. Laisser des calculatrices à la disposition des élèves pour qu'ils puissent vérifier des équations mathémathiques.

24. Faire préparer des contours de tableaux d'affichage par les élèves. Leur donner de longues bandes en carton. Les élèves doivent dessiner ou coller des dessins. Ces dessins formeront des suites logiques. Ensuite, on en décorera la classe.

25. Préparer de la monnaie et des signes ($+ - < > \times$) sur du carton. Les élèves doivent faire des énoncés mathématiques. Par exemple, 10 pièces d'un cent égalent une pièce de 10 cents. La valeur d'une pièce de 5 cents est plus grande que celle de 4 pièces de un cent.

26. Pour travailler sur l'ordre croissant et l'ordre décroissant, utiliser des boîtes de différentes grandeurs ou des pailles coupées en morceaux de différentes longueurs.

Sciences-expériences

27. Jouer avec des objets qui flottent et avec des objets qui ne flottent pas.

28. Faire des expériences avec des aimants. Jouer à la pêche.

29. Expérimenter l'électricité statique. D'abord, frotter une règle en plastique sur un morceau de laine. Observer comment on peut faire dresser les cheveux sur la tête. Ensuite, gonfler un ballon et le frotter sur ses cheveux. L'électricité statique le collera au mur.

30. Jouer avec les cinq sens. Bander les yeux de l'élève, lui demander de se pincer le nez et de goûter à différentes choses (vinaigre, citron, autres fruits, etc.). Lui faire sentir du vinaigre, des épices, du poivre, etc. Lui faire toucher des textures (fourrure, papier émeri, soie, velours, jute, etc.) et lui demander de comparer celles-ci.

31. Fabriquer un arc-en-ciel avec un verre, un petit miroir et une feuille de papier blanc.

    · Remplir le verre d'eau.

    · Mettre le miroir dans le verre.

    · Déposer le verre sur la feuille de papier, tout près d'une fenêtre ensoleillée.

    · Bien regarder : un arc-en-ciel va se former sur le papier.

32. Faire des semis de plantes ou de légumes.

33. Planter des boutures.

34. Faire des maquettes.

35. Faire sur un grand papier blanc un plan de sa chambre, de la classe, de l'école ou d'une ville imaginaire.

Début d'année scolaire

36. Faire des cartes d'anniversaire pour les camarades de classe.

37. Dessiner les membres de la famille.

38. Faire son portrait sans le montrer aux autres. Lorsque tous les élèves ont terminé, l'enseignante ou l'enseignant affiche les portraits sans indiquer les noms, leur attribuant seulement un numéro. Les élèves doivent associer les numéros avec les noms.

39. Faire remplir aux élèves un questionnaire sur leurs champs d'intérêt.

40. Faire une activité pour désigner par leur nom les articles scolaires et les objets de la classe.

41. Fabriquer un tableau de responsabilités.

42. Fabriquer un porte-mémo à coller sur le frigo pour inscrire les messages importants destinés aux parents.

43. Décorer une boîte d'allumettes, un contenant de film ou un flacon de pilules pour y déposer la dent qui tombera.

Noël

44. Écrire des cartes de Noël qui seront envoyées dans d'autres classes ou d'autres écoles.

45. Décorer la classe avec des guirlandes, des ribambelles, de la peinture dans les fenêtres ; décorer le sapin. Avec de la mie de pain blanc, modeler des formes (étoile, sapin, boule), les laisser sécher et les peindre. Les suspendre dans l'arbre de Noël.

46. Faire des biscuits, sous la supervision de parents bénévoles.

47. Faire une crèche en pâte à modeler, en pâte à sel ou en carton.

48. Faire du papier d'emballage en peignant à la gouache sur du papier blanc.

49. Faire des vitraux avec du papier de soie et du papier ciré.

50. Inventer des messages codés et des charades.

51. Fabriquer des frises de Noël.

52. Écrire une lettre au Père Noël.

53. Concevoir une publicité pour ramasser des denrées non périssables.

PARTIE 1

Des outils à découvrir

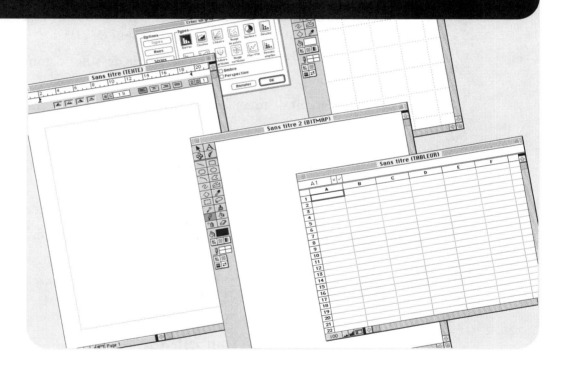

Travailler avec AppleWorks

Présentation condensée du logiciel

La présente section a pour but de permettre aux enseignantes et aux enseignants d'apprivoiser les différents outils d'AppleWorks. Il ne s'agit pas d'une étude exhaustive du logiciel, mais plutôt d'une présentation simple et concrète. En cours de lecture, l'enseignante ou l'enseignant aura la possibilité de mettre en pratique les différentes techniques suggérées.

Il est toujours préférable d'expérimenter une activité avant de la suggérer aux élèves. Le mode d'utilisation de chaque application d'AppleWorks vous est expliqué dans les pages qui suivent.

Les enseignantes et les enseignants trouveront à la fin de cette partie de courtes activités (sous forme de fiches) à faire réaliser par les élèves ainsi que des affiches présentant des outils d'AppleWorks que l'on peut installer dans le coin ordinateur.

Voici les différents outils d'AppleWorks de même que les compétences que les élèves pourraient développer en les utilisant en classe :

1. Le **dessin bitmap** permettra à l'élève de dessiner comme avec un crayon ou un pinceau.

2. Le **traitement de texte** fera découvrir à l'élève les bases de l'écriture à l'ordinateur.

3. Le **dessin vectoriel** amènera l'élève à dessiner en manipulant des traits et des formes géométriques simples. L'ajout de blocs de texte est également possible.

4. La **base de données** amènera l'élève à saisir des données et à lire des fiches.

5. La **feuille de calcul** permettra à l'élève de compiler des résultats d'enquête et d'utiliser des graphiques.

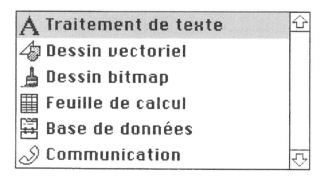

Le logiciel intégré AppleWorks offre d'autres possibilités intéressantes pour les enseignantes et les enseignants, entre autres la création d'un **document modèle** et d'un **diaporama**.

Nous pensons qu'il est intéressant, au niveau préscolaire et au premier cycle, d'apprendre aux élèves à créer des documents

« modèles » qui les amèneront à développer certaines compétences face aux outils de ce logiciel intégré. Lorsque l'enseignante ou l'enseignant crée un modèle de base, l'élève apprend d'abord uniquement à le remplir avant de passer à l'étape beaucoup plus exigeante qui consiste à créer elle-même ou lui-même un canevas de travail.

Les commandes relatives à la création d'un modèle sont très simples.

Comment créer un modèle?

Un modèle est un document type que l'on peut réutiliser à loisir. Vous pouvez recourir au modèle pour créer des fiches d'activités destinées aux élèves. Le modèle peut être créé à partir de n'importe quelle application d'AppleWorks. En voici les étapes :

1. Créez un document avec une application d'AppleWorks.

2. Assurez-vous que toutes les modifications ont été apportées.

3. Enregistrez le document en choisissant Enregistrer dans le menu Fich.

4. Cliquez une fois sur votre document, qui apparaît alors sur le bureau. Activez-le.

5. Cliquez sur Lire les informations; cochez la case Modèle; refermez la fenêtre.

6. Maintenant, vous avez un document sur le bureau. Le document modèle a le coin inférieur droit plié :

Le dessin bitmap

Le dessin bitmap comprend une série d'outils qui permettront aux élèves de faire des dessins variés.

Lancez AppleWorks et choisissez Dessin bitmap dans la zone de dialogue Nouveau document. Vous pouvez maintenant vous familiariser avec les différents outils.

Pour choisir un outil, vous n'avez qu'à cliquer dessus dans la palette d'outils qui apparaît à gauche de l'écran. Ensuite, cliquez là où vous voulez que le trait ou la figure commence, et déplacez le curseur en gardant le bouton de la souris enfoncé jusqu'au point d'arrêt.

1. **Trait** : permet de tracer une ligne droite.

2. **Rectangle** : permet de tracer un rectangle de la dimension désirée. Vous pouvez faire un carré si, en même temps que vous déplacez le curseur, vous appuyez sur la touche *majuscule*.

3. **Rectangle arrondi** : permet de tracer un rectangle arrondi. Cliquez là où la figure doit commencer et déplacez le curseur en gardant le bouton de la souris enfoncé jusqu'au point d'arrêt.

4. **Ovale** : même consigne que pour le rectangle arrondi. Pour faire un cercle, appuyez sur la touche *majuscule*.

5. **Arc** : fait apparaître une ligne courbe (ou arc, c'est-à-dire une partie de cercle) ; la surface se trouvant sous cette courbe se colorera.

6. **Polygone** : permet de tracer des polygones irréguliers côté par côté.

7. **Forme libre** : permet de tracer (comme vous le feriez avec un crayon) la forme que vous désirez et que vous ne pouvez pas obtenir automatiquement avec les autres outils ; permet aussi d'ajouter un détail à un dessin.

8. **Courbe de Bézier** : permet de tracer une courbe. Cliquez à l'endroit où vous voulez commencer la courbe, déplacez le curseur et cliquez de nouveau. Répétez cette commande jusqu'à ce que la courbe ait la forme voulue. Pour terminer, faites un double-clic.

9. **Polygone régulier** : permet d'obtenir un hexagone (quand on clique sur l'outil). En double-cliquant, vous pourrez décider du nombre de côtés de votre polygone déjà tracé par l'ordinateur.

10. **Crayon** : permet de tracer un trait.

11. **Pinceau** : permet de tracer des traits de formes et de couleurs variées. Double-cliquez sur l'outil et vous aurez un grand choix de traits : par exemple, la pointe du pinceau peut être carrée, arrondie, plus large ou plus étroite.

12. **Pot de peinture** : permet de remplir une portion du dessin avec un motif et/ou une couleur. Les motifs et les couleurs se trouvent dans les palettes de fond.

13. **Aérographe** : permet de dessiner des nuages de couleur de différentes intensités. Cliquez sur l'outil et vous obtiendrez un seul nuage ; faites glisser le curseur et vous ferez une pulvérisation en continu. Lorsque vous double-cliquez sur l'outil, une zone de dialogue

vous donne un grand choix de tailles de nuages (nombre de points) ou de densité (pression).

14. Gomme : permet d'effacer. Cliquez une fois et vous effacerez comme avec une gomme à effacer. Double-cliquez et tout le dessin s'effacera.

15. Palettes de fond : permettent de choisir une couleur de fond, un motif ou un dégradé.

16. Palettes de trait : permettent de fixer la couleur, l'apparence et l'épaisseur des contours d'une image.

Le traitement de texte

Le traitement de texte est un outil plus ou moins utile pour les élèves du préscolaire. Les élèves de 2e et 3e année sont plus aptes à l'utiliser.

La sélection d'un texte

Vous pouvez ajouter, enlever ou déplacer des mots, des lignes ou des paragraphes.

Pour agir sur une partie d'un texte, vous devez d'abord la sélectionner, c'est-à-dire indiquer à l'ordinateur la partie du texte où vous désirez changer des choses.

Pour *sélectionner* une partie du texte, vous pouvez agir de trois manières :

1. À l'aide de la souris, placer le curseur au début de la partie à changer et, en maintenant le bouton de la souris enfoncé, déplacer le curseur avec la souris jusqu'à la fin de cette partie.

2. Placer le curseur au début de la partie à sélectionner et, en maintenant le bouton de la souris enfoncé, déplacer le curseur, à l'aide des flèches situées à droite du clavier, jusqu'à la fin de cette partie.

3. Placer le curseur sur un mot et double-cliquer sur le mot. Lorsqu'on fait un triple-clic, toute la ligne est sélectionnée. Avec un quadruple-clic, on sélectionne tout le paragraphe.

Pour *couper* une partie du texte :

1. Sélectionner cette partie et, tout en maintenant la touche ⌘ (Macintosh) ou CTRL (PC) enfoncée, appuyer sur X .

Ou :

2. Sélectionner la partie à couper et, avec la souris, choisir le menu Edit. (Édition) dans la barre des menus, en haut de l'écran. Tout en maintenant le bouton de la souris enfoncé, descendre jusqu'à la commande Couper ; relâcher le bouton de la souris. (L'ordinateur garde en mémoire le texte que vous venez de couper. Vous pourrez donc le placer ailleurs.)

Pour *coller* un texte qui a été coupé :

1. Placer le curseur à l'endroit où le texte doit apparaître et, tout en maintenant la touche ⌘ (Macintosh) ou CTRL (PC) enfoncée, appuyer sur V .

Ou :

2. Avec la souris, choisir le menu Edit. dans la barre des menus. Tout en maintenant le bouton de la souris enfoncé, descendre jusqu'à la commande Coller ; relâcher le bouton de la souris.

Pour *copier* une partie du texte :

1. Sélectionner cette partie et, tout en maintenant la touche ⌘ (Macintosh) ou CTRL (PC) enfoncée, appuyer sur C .

Ou :

2. Sélectionner la partie à copier, puis choisir le menu Edit. dans la barre des menus. Tout en maintenant le bouton de la souris enfoncé, descendre jusqu'à la commande Copier ; relâcher le bouton de la souris.

La mise en pages d'un texte

Voici une description des commandes à utiliser : ▤ ▤ ▤ ▤ .

Alignement à gauche : sélectionner tout le texte et cliquer sur l'icône ▤ placée sous la réglette de texte, en haut de l'écran.

Alignement à droite : sélectionner tout le texte et cliquer sur l'icône ▤ placée sous la réglette de texte, en haut de l'écran.

Alignement à gauche et à droite : sélectionner tout le texte et cliquer sur l'icône ▤ placée sous la réglette de texte, en haut de l'écran.

Texte centré : placer le curseur au début du texte et appuyer deux fois sur la touche ⏎ afin de laisser de l'espace pour un titre.

– En haut de la page, écrire un titre.

– Sélectionner le titre.

– Cliquer sur l'icône ▤ .

On peut aussi changer l'allure des lettres en choisissant une **police,** un **corps** et un **style** dans la barre des menus.

Pour *corriger l'orthographe* :

Choisir le menu Edit. puis le sous-menu Orthographe et cliquer sur Vérifier. L'ordinateur indiquera les mots qu'il ne reconnaît pas et fera des suggestions. On peut choisir de garder les mots tels quels ou de les remplacer. Attention ! L'ordinateur ne reconnaît pas les fautes d'accords.

Pour *trouver des synonymes* :

Choisir le menu Edit. puis le sous-menu Orthographe et cliquer sur Dictionnaire des synonymes.

Pour *enregistrer un document* :

Choisir le menu Fich. (Fichier) dans la barre des menus. Choisir ensuite Enregistrer. La zone de dialogue Enregistrer apparaît. Placer le curseur dans la zone de texte déjà sélectionnée (sans titre 1) et donner un nom au document. Par la suite, classer le document dans un dossier. Les dossiers apparaissent dans la fenêtre, au-dessus du nom du document. Appuyer ensuite sur la touche ⏎ .

Le dessin vectoriel

Le dessin vectoriel permet de faire des formes, de tracer des traits et d'écrire dans des blocs de texte. Vous pouvez aussi modifier et déplacer chaque forme séparément. De même, vous pouvez modifier et déplacer des textes. Le dessin vectoriel permet de créer beaucoup de matériel didactique.

Comment ouvrir un document?

Lorsque vous lancez AppleWorks et que vous choisissez Dessin vectoriel, un nouveau document apparaît. La page est quadrillée pour vous permettre de faire un plan plus facilement. Le quadrillage n'est là que pour vous guider ; il ne s'imprimera pas.

Comment créer une forme?

– Activer l'outil Rectangle en cliquant dessus avec la souris, qui prend alors la forme d'une croix.

– Faire glisser le curseur vers la droite et vers le bas tout en maintenant le bouton de la souris enfoncé. Lorsque l'on relâche le bouton de la souris, le rectangle est formé. La figure comporte des poignées, soit les petits carrés que l'on voit sur son contour. Celles-ci indiquent que la figure est sélectionnée.

Vous pouvez maintenant couper, copier ou coller.

Comment modifier une forme?

– Sélectionner la forme à modifier en cliquant sur celle-ci. Ensuite, pointer une des poignées et, en maintenant le bouton de la souris enfoncé, déplacer la souris, qui active le curseur, pour changer la forme du rectangle.

– Pour appliquer une rotation à une forme, choisir Rotation manuelle dans le menu Objet. Pointer une poignée et faire tourner la figure dans le sens désiré en déplaçant la souris.

– Colorer le rectangle en rouge avec les palettes de couleurs. Les palettes de fond permettent de choisir une couleur de fond. Les palettes de trait permettent de fixer la couleur aux contours de la figure.

– Lorsque l'on veut faire apparaître des formes, il faut savoir que la première est derrière la deuxième, et ainsi de suite. Pour placer la première forme au-dessus, cliquer sur cette forme. Aller dans le menu Objet et faire glisser le curseur sur Premier plan. La forme du dessous apparaît sur le dessus. L'inverse est possible avec Arrière-plan.

– Pour afficher une forme symétrique, choisir, dans le menu Objet, Miroir vertical ou Miroir horizontal.

– Il est également possible d'ajouter des blocs de texte. Pour cela, cliquer sur l'outil Texte (l'icône A) de la Palette d'outils. Faire glisser le curseur vers la droite et vers le bas. Le texte saisi va s'écrire à l'intérieur du bloc. On peut agrandir ou réduire le bloc de texte comme s'il s'agissait d'un dessin. On peut aussi le déplacer à sa guise.

Note : Vous trouverez des activités et des affiches à la fin de cette partie.

La base de données

La base de données permet d'inscrire un grand nombre de renseignements. Ainsi, elle permet de faire des fiches en quantité illimitée et de retrouver facilement tous les renseignements qu'elles contiennent.

– Lancer AppleWorks et choisir Base de données dans la zone de dialogue Nouveau document. La zone de dialogue Définir les rubriques apparaît à l'écran.

– Choisir un premier nom de rubrique. Dans la case de saisie Nom, taper par exemple le mot **Nom**.

– Il faut maintenant déterminer le type de rubrique (le type de données qui seront recueillies). Dans Type, choisir Texte (quand les renseignements à recueillir comportent des chiffres et des lettres, comme une adresse, toujours choisir Texte).

– Cliquer sur Créer. Le nom et le type de la première rubrique apparaissent dans la petite fenêtre.

– Définir maintenant la deuxième rubrique. Tapez **G** ou **F** (pour garçon ou fille), puis choisir Texte. Cliquer sur Créer. La deuxième rubrique apparaît.

– Créer ainsi une rubrique pour chacune des questions d'un questionnaire sur les sports d'hiver, par exemple. Choisir chaque fois un ou deux mots qui désignent bien l'information recherchée.

– Cliquer sur Fin. La fiche modèle est prête à être utilisée ou imprimée.

La feuille de calcul

La feuille de calcul permet de construire un tableau ou un graphique.

Comment créer un tableau?

– Ouvrir AppleWorks et choisir Feuille de calcul. Un document sans titre apparaît à l'écran. C'est une grille rectangulaire formée de lignes (ou rangées), de colonnes et de *cellules* (une cellule est le rectangle formé par la rencontre d'une ligne et d'une colonne). Quand vous lancez le programme, la première cellule (A1), dans le coin supérieur gauche, est déjà prête à recevoir des informations : on dit qu'elle est active.

– Inscrire le titre du tableau, par exemple **Sports d'hiver**. Appuyer sur la touche ⏎. Le titre se prolongera dans les autres cellules.

– Amener le curseur à la cellule B2. Inscrire F pour fille, puis appuyer sur ⏎.

– Amener le curseur à la cellule C2. Inscrire G pour garçon, puis appuyer sur ⏎.

– Amener le curseur à la cellule A3. Inscrire le nom du premier sport de la base de données. Inscrire les noms suivants dans les cellules A4, A5, etc.

– Pour chacun des sports, inscrire le nombre de filles qui l'ont choisi dans la cellule correspondante de la colonne B; faire la même chose pour les garçons dans la colonne C.

– Enregistrer le tableau (choisir Enregistrer dans le menu Fich.). Donner au document un nom court qui rappellera son contenu. Choisir le dossier dans lequel ce document sera conservé.

Comment créer un graphique?

– Sélectionner la partie du tableau qui a été remplie. Pour ce faire, maintenir le bouton de la souris enfoncé, déplacer le curseur en diagonale de la cellule A1 jusqu'à la dernière cellule où une donnée a été inscrite.

– Choisir Créer un graphique dans le menu Feuille. La zone de dialogue Créer un graphique apparaît.

– Choisir un type de graphique. Cliquer sur OK.

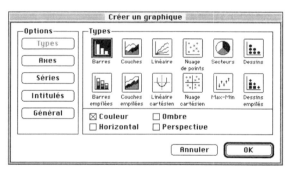

Comment faire des calculs?

Si vous voulez analyser les données recueillies, vous avez sûrement besoin de faire des calculs.

Total par ligne

Voici d'abord comment procéder pour calculer le nombre d'élèves qui préfèrent chacun des sports d'hiver que vous avez eus comme réponses.

– Amener le curseur à la cellule D2.

– Écrire le mot **Total**.

– Amener le curseur à la cellule D3.

– Appuyer sur la touche ⌨.

– Cliquer sur la cellule qui contient le premier nombre (B3). Le numéro de la cellule s'inscrit en haut des colonnes, dans la zone de saisie.

– Cliquer sur la cellule C3 et appuyer sur ⏎. Le total des filles et des garçons qui préfèrent le premier sport s'inscrit dans la colonne D.

Pour obtenir le total de garçons et de filles préférant chaque sport, au lieu de répéter l'opération pour chaque ligne, il faut la *recopier vers le bas*.

– Déplacer le curseur de la cellule D3 jusqu'à la dernière ligne qui contient une donnée.

– Choisir Recopier vers le bas dans le menu Feuille. La somme de chaque rangée (ou ligne) s'affiche.

Total par colonne

Maintenant, voici comment calculer le nombre total de garçons et de filles.

– Amener le curseur à la cellule qui suit la dernière entrée dans la colonne A.

– Écrire le mot **Totaux**.

– Amener le curseur dans la colonne B.

– Appuyer sur la touche ⌨.

– Cliquer sur la cellule qui contient le premier nombre (B3), une donnée de la catégorie Filles. Le numéro de la cellule s'inscrit dans la zone de saisie, en haut des colonnes.

– Cliquer sur les cellules B3, B4, B5… et, chaque fois, appuyer sur ⏎. Le total s'inscrit dans la colonne B.

Au lieu de répéter l'opération pour toutes les lignes, vous allez la *recopier vers la droite*.

– Déplacer le curseur de la cellule qui contient la somme B (le nombre de filles) jusqu'à la colonne D.

– Choisir Recopier vers la droite dans le menu Options. La somme de chaque colonne s'affiche. On obtient donc le nombre total de garçons, de filles et d'élèves qui ont répondu au questionnaire sur leurs sports d'hiver préférés.

Le diaporama

Le diaporama est un outil intéressant pour la présentation des travaux ou la préparation d'une leçon par l'enseignante ou l'enseignant. Chaque page de document correspond à une diapositive. On peut voir défiler sur un écran l'histoire ou le projet créé par un groupe d'élèves.

– Lancer AppleWorks.

– Choisir Dessin vectoriel comme type de document.

– Choisir Prévisualiser dans le menu Écran (à droite).

– Choisir Document dans le menu Format et entrer le nombre de diapositives désiré. (Par exemple, 8 = 4 en largeur × 2 en hauteur.)

– Choisir Diaporama dans le menu Écran. La zone de dialogue Diaporama apparaît.

– Choisir un fond d'écran (la couleur qui apparaîtra autour de la diapositive, à l'écran). Lorsque l'on clique sur la case Fond de l'écran, les couleurs offertes s'affichent. Puis, choisir un fond de diapositive.

– Cliquer sur Fin pour enregistrer les options choisies.

– Placer maintenant le texte. Lorsque l'outil Texte ⬛A⬛ est sélectionné, placer le curseur à l'endroit désiré pour commencer à écrire.

– Ouvrir alors un bloc de texte, c'est-à-dire un cadre qui délimite la taille du texte qui sera saisi (le cadre disparaîtra lorsque vous aurez fini de saisir le texte et que vous cliquerez à l'extérieur). Pour cela, déplacer le curseur, en maintenant le bouton de la souris enfoncé, jusqu'à ce que le bloc soit de la taille souhaitée.

Si le texte s'avère plus long que l'espace créé, le cadre s'ajustera en conséquence et vous pourrez continuer à entrer du texte. Il vaut mieux procéder de cette façon et créer d'avance un espace pour entrer le texte, car souvent, quand on ne le fait pas, les lettres s'alignent à la verticale plutôt qu'à l'horizontale.

Vous pouvez changer l'allure des lettres avec les outils habituels : [Helvetica ▼] [12 ▼] [A ▼] [▦]

En mode Dessin vectoriel, chaque élément créé est considéré comme un objet indépendant. Vous pouvez donc placer vos dessins et votre texte à votre goût.

Une fois la première diapositive créée, utiliser la barre de défilement située au bas de l'écran pour avoir accès à la deuxième. Une fois celle-ci terminée, passer à la troisième, et ainsi de suite.

Quand le diaporama est terminé, voici comment le présenter aux élèves :

– Choisir Diaporama dans le menu Écran.

– Dans la zone de dialogue, cliquer sur Début.

– Pour terminer ou interrompre la présentation, appuyer sur ⬛Q⬛ .

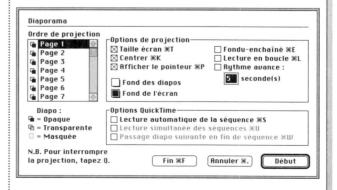

Une recherche dans le Web

Le Web contient des millions de pages d'informations. Il n'est pas facile de s'y retrouver ! Voici quelques conseils qui pourront vous être utiles.

1. Pour travailler à partir d'un site dont on vous donne l'adresse, choisir Consulter un autre site dans le menu Fich. et taper l'adresse désirée. Vous pouvez aussi écrire directement l'adresse dans la zone de texte où est inscrite l'adresse de la page d'accueil et appuyer sur la touche ⏎.

2. Pour trouver des pages Web qui se rapportent à un sujet quelconque :

– Dans le menu Annuaires, choisir Rechercher dans Internet. Une fois rendu dans cette page, utiliser la barre de défilement pour avoir accès à une liste de moteurs de recherche qui vous aideront à trouver ce que vous voulez. Choisir un de ces moteurs en cliquant sur son nom (par exemple AltaVista, car il est puissant et fouille des millions de pages Web).

– Choisir ensuite Langue française dans la case où on vous le demande. Puis, dans la zone de saisie, écrire les mots qui correspondent à ce qui est recherché.

Exemple : Si vous tapez **corps humain,** AltaVista vous présentera toutes les pages où l'on trouve le mot « corps » et toutes celles où l'on trouve le mot « humain ». Vous obtiendrez ainsi des milliers de références. Par contre, si vous placez les mots entre guillemets (**« corps humain »**),

AltaVista ne recherchera que les pages où l'on trouve les deux mots ensemble.

Pour obtenir des renseignements plus précis, vous pouvez utiliser les signes + et −, par exemple **« corps humain »** + **oeil**.

Si, après avoir visité un site intéressant, vous désirez conserver son adresse, placez celle-ci dans un fichier Signets (Nestcape) ou Favoris (Explorer).

Bonne navigation !

Créer avec Kid Pix Studio

Exploration du logiciel

… parce que les élèves adorent les images et les histoires !

Dès sa sortie, dans les années 80, le logiciel de dessin Kid Pix remporta un grand succès. Depuis 1995, grâce à Kid Pix Studio (et plus récemment grâce à Kid Pix Deluxe), nous avons accès à des outils de dessin plus variés et perfectionnés. Plus encore, ce logiciel offre la possibilité d'enseigner aux élèves les bases du multimédia en intégrant le mouvement et le son à leurs créations.

Kid Pix Studio est intéressant à utiliser au primaire parce que :

– il est spécialement conçu pour les élèves de 5 à 12 ans ;

– les enseignantes et les enseignants peuvent l'exploiter de plusieurs façons pour amener les jeunes à développer leur créativité ;

– il offre une multitude d'outils d'aide à la création, de sorte que même les élèves qui ne se trouvent pas doués pour le dessin arrivent à produire des réalisations dont ils sont fiers (on observe d'ailleurs le même phénomène chez les adultes qui l'utilisent) ;

– au lieu de puiser des images toutes faites dans des banques sur cédéroms pour illustrer leurs travaux, les élèves inventent leurs propres images.

Selon vos besoins ou les objectifs que vous poursuivez, différents outils de travail seront employés. Le volet dessin de Kid Pix Studio propose des outils de base offrant déjà d'innombrables possibilités. Quant au volet multimédia, il permet de découvrir les tableaux animés, le tamponimateur, les marionnettes numériques, le diaporama et la télé magique.

Note : Une fois l'installation du logiciel terminée sur votre appareil, vous pourrez utiliser les outils de dessin de la section Kid Pix sans avoir recours au cédérom. Pour ce qui est de tous les autres outils (tamponimateur, télé magique, etc.), il vous faudra insérer le cédérom dans l'appareil pour qu'ils fonctionnent.

Bien qu'au premier coup d'œil on puisse penser que Kid Pix s'adresse surtout aux élèves des 1er et 2e cycles du primaire, nous savons que même des élèves de 3e cycle s'en donnent à cœur joie avec ce logiciel. Ces élèves délaisseront peut-être certaines fonctions de base pour se concentrer sur les outils qui satisfont leur désir de création.

Bref, puisque les possibilités offertes par ce logiciel sont très nombreuses et qu'il est accompagné d'un guide d'utilisation clair et étoffé (Kid Pix Deluxe propose même une banque d'activités pédagogiques), nous ne vous présenterons ici qu'un survol des principaux instruments de travail proposés dans la partie portant sur le dessin.

Pour accéder aux outils de travail dont il sera question ici, cliquer sur Kid Pix (cadre placé au centre de la première fenêtre qui apparaîtra à l'écran). Il faudra préciser aux élèves que la plupart des outils de dessin (crayon, tampon, pinceau, etc.) en cachent d'autres qu'ils pourront découvrir en cliquant sur les flèches situées au bout des barres d'options.

Outils Kid Pix

Beaucoup d'outils Kid Pix permettent de dessiner à sa guise. Ces choix sont appelés « Options d'outils » et la barre dans laquelle ils apparaissent est appelée « Barre d'options d'outils ». Sélectionner une option en cliquant sur le bouton de la souris. Et comme si cet éventail de choix ne suffisait pas, certains outils comptent plus d'une barre d'options d'outils. Cliquer sur la flèche sur le côté de la barre d'options pour voir davantage de choix.

Utilisatrices et utilisateurs de Macintosh : en maintenant les touches [alt], [CTRL], [majuscule] et/ou [⌘] enfoncées pendant que vous dessinez avec l'outil, vous pouvez encore augmenter les possibilités de celui-ci.

Utilisatrices et utilisateurs de PC : en maintenant les touches [majuscule] et/ou [CTRL] enfoncées pendant que vous dessinez avec la souris, vous pouvez encore augmenter les possibilités des outils.

Le Crayon magique

Cliquez sur le Crayon magique pour dessiner des lignes libres. Ce faisant, regardez en bas de l'écran les options concernant le style, l'épaisseur du trait et le motif. Il y a deux séries d'options Crayon magique produisant des pointes de crayon carrées ou rondes.

- L'option Teinte ▦ produit un effet-surprise.
- L'option Mystère ◈ génère différentes couleurs avec un effet d'arc-en-ciel pendant que le crayon dessine.

La Ligne

Cliquez sur l'outil Ligne pour tracer des lignes. Ce faisant, des options sont alors disponibles en ce qui touche l'épaisseur et les motifs.

- L'option Mystère ◈ produit un effet-surprise.

- Pour tracer des angles, se servir de l'outil Ligne tout en appuyant sur la touche [majuscule].

Le Rectangle

Choisissez l'outil Rectangle pour dessiner des rectangles avec différents motifs dont les options sont visibles dans la barre d'options.

- L'option Mystère ◈ remplit le rectangle avec un arc-en-ciel.

Utilisatrices et utilisateurs de Macintosh :

- Pour dessiner un rectangle sans bordure, appuyez sur la touche [CTRL] tout en dessinant.
- Pour dessiner un carré parfait, appuyez sur la touche [majuscule] tout en dessinant.
- Pour dessiner un rectangle avec une bordure plus épaisse, appuyez sur la touche [alt] tout en dessinant. En appuyant à la fois sur la touche [alt] et sur la touche [⌘], vous dessinez une bordure encore plus épaisse.

Utilisatrices et utilisateurs de PC : pour dessiner un carré parfait, appuyez en même temps sur la touche [majuscule].

L'Ovale

Cliquez sur l'outil Ovale pour dessiner des ovales de motifs différents. Ce faisant, les options de motifs offertes sont visibles dans la barre d'options.

- L'option Mystère ◈ produit un ovale arc-en-ciel.

Utilisatrices et utilisateurs de Macintosh :

- Pour dessiner un ovale sans bordure, appuyez tout en dessinant sur la touche [alt].
- Pour dessiner un cercle parfait, appuyez tout en dessinant sur la touche [majuscule].

- Pour dessiner un cercle avec une bordure plus épaisse, appuyez tout en dessinant sur la touche [alt]. En appuyant à la fois sur la touche [alt] et sur la touche [CTRL], vous dessinez une bordure encore plus épaisse.

Utilisatrices et utilisateurs de PC : pour dessiner un cercle parfait, appuyez tout en dessinant sur la touche [majuscule].

Le Pinceau magique

Cliquez sur l'outil Pinceau magique pour peindre tout ce que vous désirez. Il y a beaucoup d'options visibles dans les barres d'options d'outils, en bas de l'écran. La plupart des options peignent avec la couleur choisie dans la palette de couleurs, mais certaines options peignent avec des couleurs multiples.

Utilisatrices et utilisateurs de Macintosh : essayez les touches [majuscule], [alt], [⌘] et [CTRL] pour obtenir des effets Pinceau magique supplémentaires. Faites des expériences pour voir quelles combinaisons vous conviennent le mieux.

Utilisatrices et utilisateurs de PC : essayez les touches [CTRL] et [majuscule] pour obtenir des effets Pinceau magique supplémentaires. Faites des expériences pour voir quelles combinaisons vous conviennent le mieux.

Le Pot de peinture

Cliquez sur l'outil Pot de peinture à l'endroit où vous voulez remplir votre image de couleurs éclatantes et de motifs amusants tirés des barres d'options.

Le Mixer électrique

Cliquez sur Mixer électrique pour transformer votre dessin. Quand vous choisissez le mixer électrique, des barres d'options apparaissent en bas de l'écran pour créer des effets magiques. Afin de mettre le mixer en marche, cliquez sur l'option qui vous intéresse, puis cliquez sur votre dessin.

Utilisatrices et utilisateurs de Macintosh : essayez les touches [majuscule], [alt], [⌘] et [CTRL] pour obtenir des effets Mixer électrique supplémentaires.

Utilisateurs de PC : essayez les touches [CTRL] et [majuscule] pour obtenir des effets Mixer électrique supplémentaires.

La Gomme

Cliquez sur l'outil Gomme pour choisir une gomme. Un éventail de gommes de toutes tailles et de toutes formes vous est proposé ainsi que d'autres manières rapides d'effacer tout l'écran.

- La gomme mystérieuse ❓ réserve une autre surprise : essayez-la...

Le Texte

Cliquez sur l'outil Texte pour tamponner du texte sur vos productions. Les lettres et les chiffres offerts sont visibles dans la barre d'options, au bas de l'écran. Pour en entendre le nom, cliquez sur chaque lettre ou chiffre. Cliquez sur les flèches pour les faire défiler.

Le Texte clavier

Cliquez sur l'outil Texte clavier et choisissez parmi les 14 polices offertes dans la barre d'options. Avec la souris, placez le curseur dans l'image Kid Pix et commencez à taper.

Les Tampons

Choisissez l'outil Tampon pour tamponner des images déjà dessinées. Rappelez-vous que vous pouvez échanger les séries de tampons avec Choisir une série de tampons dans le menu Bonnes choses.

Utilisatrices et utilisateurs de Macintosh : maintenez les touches [majuscule], [alt] et [⌘] enfoncées pour redimensionner les tampons.

Utilisatrices et utilisateurs de PC : maintenez les touches [CTRL] et [CTRL] + [majuscule] enfoncées pour redimensionner les tampons.

🚚 Le Camion de déménagement

Choisissez la forme et la dimension du camion de déménagement dont vous avez besoin. Placez le camion sur la partie de l'image que vous voulez transporter. En maintenant le bouton de la souris enfoncé, déplacez le curseur là où vous voulez transporter la partie de l'image et relâchez la souris.

Utilisatrices et utilisateurs de Macintosh : pour copier une partie d'une image et la mettre ailleurs dans votre dessin, gardez la touche [alt] enfoncée quand vous déplacez la souris.

- Les options que sont l'outil Lasso et l'outil Aimant permettent d'obtenir des camions de déménagement de la dimension souhaitée. En entourant avec la souris une partie de l'image, vous pouvez la capturer avec l'aimant et la déplacer. Servez-vous de la commande du menu Edit. pour Couper, Copier, Annuler ou Coller la sélection en cours.

- L'outil Lasso se resserre pour sélectionner le premier changement de couleur rencontré. Pour lui faire sélectionner exactement ce que vous avez entouré avec la souris, maintenez la touche [alt] enfoncée.

- Pour peindre avec la partie de l'image sélectionnée comme avec le Pinceau magique, gardez la touche [⌘] enfoncée (Macintosh) ou [CTRL] (PC) pendant que vous déplacez la souris.

Utilisatrices et utilisateurs de PC : pour copier une partie d'une image et la transporter ailleurs dans votre dessin, utilisez l'option Dimensions ajustables (dernière option), puis gardez la touche [CTRL] enfoncée en déplaçant la souris.

- Pour peindre avec une partie du camion de déménagement de dimension ajustable, maintenez les touches [CTRL] et [majuscule] enfoncées pendant que vous déplacez la souris (cette action déplacera une copie des camions de déménagement de dimension fixe).

💧 Le Compte-gouttes

Servez-vous du compte-gouttes pour choisir n'importe quelle couleur. Cliquez sur l'outil Compte-gouttes. Puis cliquez sur une couleur dans votre image Kid Pix. La couleur sur laquelle vous avez cliqué s'inscrit dans la case de couleur actuelle. Vous pouvez peindre ou dessiner avec cette couleur avec n'importe quel autre outil Kid Pix.

🧹 Le Balayeur

On recourt aux services du Balayeur chaque fois qu'on ne veut pas garder une chose que l'on a faite. Lorsque l'on clique sur cet outil, la dernière action est balayée. On peut faire la même chose avec la commande Annuler du menu Edit.

Outils bitmap

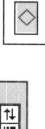

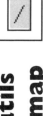	**Trait**
	Carrés avec [majuscule] **et Rectangles**
	Rectangles à coins arrondis
	Cercles avec [majuscule] **et Ovales**
	Arcs
	Polygones irréguliers
	Formes libres
	Courbes de Bézier
	Polygones réguliers

Les outils de Sélection

	Rectangle
	Lasso
	Baguette magique

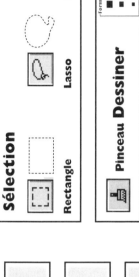

Formes du pinceau

Pinceau Dessiner

Crayon Dessiner

Pot de peinture Peindre

Aérographe Pulvériser

Efface Effacer

Pipette Prélever de la couleur

Affiche 2 (Macintosh ou PC) Palettes (AppleWorks)

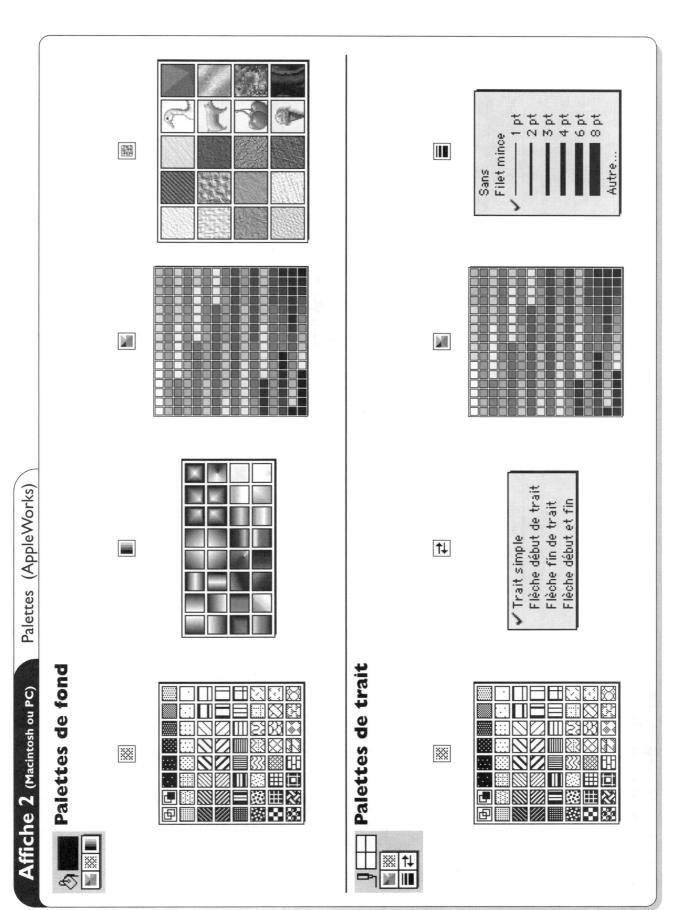

Palettes de fond

Palettes de trait

Outils vectoriels

Trait

Carrés avec [majuscule] **et Rectangles**

Rectangles à coins arrondis

Cercles avec [majuscule] **et Ovales**

Arcs

Polygones irréguliers

Formes libres

Courbes de Bézier

Polygones réguliers

Outil texte   Écrire

Outil sélection   Sélectionner

Outil bitmap

Tableur

Pipette   Prélever de la couleur

Affiche 4 (PC)   Commandes à retenir (AppleWorks)

CTRL	V	Coller
	Espace	
	Majuscule	
	Recul	
	Retour de chariot	
	Effacer dans le menu « Edit. »	
CTRL	D	Dupliquer
CTRL	P	Imprimer
CTRL	Q	Quitter
CTRL	S	Enregistrer
CTRL	Z	Annuler
CTRL	C	Copier
CTRL	X	Couper

⌘ **D** Dupliquer	⌘ **V** Coller
⌘ **P** Imprimer	**Espace**
⌘ **Q** Quitter	**Majuscule**
⌘ **S** Enregistrer	⌫ **Recul**
⌘ **Z** Annuler	↵ **Retour** de chariot
⌘ **C** Copier	**Effacer** dans le menu « Edit. »
⌘ **X** Couper	

Fiche I (Macintosh ou PC)

Éditer un dessin ou du texte (AppleWorks)

I. Fais un rectangle.

2. Clique sur le rectangle.
Des poignées apparaissent.

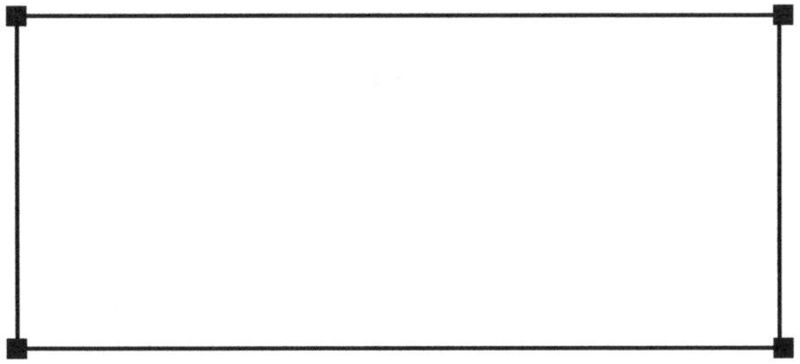

3. Va dans le menu Edit.
Fais glisser le curseur sur Couper

ou

fais la commande ⌘ **X** (Macintosh)

ou

CTRL **X** (PC).

4. Va dans le menu Edit.
Fais glisser le curseur sur Coller

ou

fais la commande ⌘ **V** (Macintosh)

ou

CTRL **V** (PC).

5. Va dans le menu Edit.
Fais glisser le curseur sur Dupliquer

ou

fais la commande ⌘ **D** (Macintosh)

ou

CTRL **D** (PC).

6. Va dans le menu Edit.
Fais glisser le curseur sur Effacer

ou

fais la commande ⌘ **X** (Macintosh)

ou

CTRL **X** (PC).

1. Crée un rectangle.

2. Crée un cercle.

**3. Place le cercle sur le rectangle.
Le rectangle est sous le cercle.**

**4. Clique sur le rectangle.
Des poignées apparaissent.**

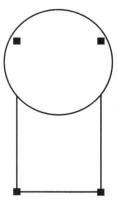

**5. Va dans le menu Objet.
Place le curseur sur Premier plan.**

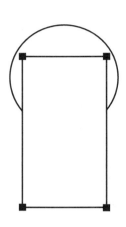

Quand tu crées des objets, ils se placent l'un au-dessus de l'autre.

Les objets s'empilent.

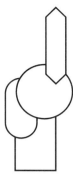

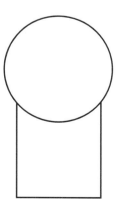

Fiche 3 (Macintosh ou PC) | Éloigner un objet (dessin vectoriel AppleWorks)

1. Crée un cercle.

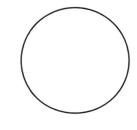

2. Crée un rectangle.

**3. Place le rectangle sur le cercle.
Le cercle est sous le rectangle.**

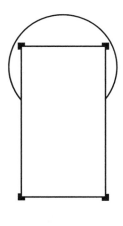

**4. Clique sur le rectangle.
Des poignées apparaissent.**

**5. Va dans le menu Objet.
Place le curseur sur Arrière-plan.**

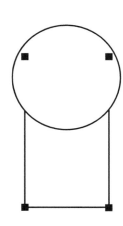

**Quand tu crées des objets, ils se placent
l'un au-dessus de l'autre.**

Les objets s'empilent.

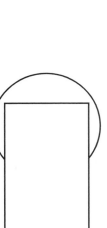

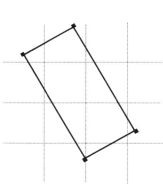

1. Crée un rectangle.

2. Va dans le menu **Objet**.

   Fais glisser le curseur sur Rotation manuelle ou fais la commande ⇧ ⌘ **T.**

3. Un **X** apparaît à la place du curseur.

   Place le X sur une poignée.

   Appuie sur la souris.

   Fais tourner l'objet.

4. Retourne dans le menu **Objet**.

   Fais glisser le curseur sur Rotation manuelle ou fais la commande ⇧ ⌘ **T.**

   Cela annule la commande.

Fiche 5 (Macintosh ou PC)   Changer le sens d'un objet (dessin vectoriel AppleWorks)

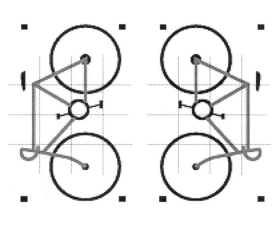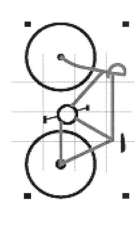

1. Va dans le menu Fich.

Fais glisser le curseur jusqu'à **Bibliothèque.**
   Fais glisser le curseur sur **Transport.**
      Clique sur Bicyclette.
         Fais glisser la bicyclette sur ta feuille.

2. Clique sur la bicyclette.
   Des poignées apparaissent.

3. Va dans le menu Objet.
   Fais glisser le curseur sur **Miroir vertical.**

4. Va dans le menu Objet.
   Fais glisser le curseur sur **Miroir horizontal.**

Pour agrandir un objet :

1. Clique sur l'objet de ton choix.

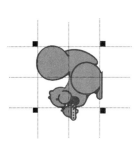

2. Place le curseur sur un des coins.

3. Fais glisser la souris vers l'extérieur.

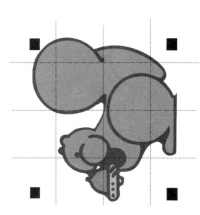

Fiche 7 (Macintosh ou PC)   Modifier l'écriture (dessin vectoriel AppleWorks)

Police

`Helvetica ▾` `12 ▾`

1. Écris ton prénom.

Louise

2. Clique deux fois sur ton prénom.

Louise

3. Place le curseur sur le menu Police.
   Fais glisser le curseur sur la forme de caractères de ton choix.

`Helvetica ▾`

4. Place le curseur sur le menu Corps.
   Fais glisser le curseur sur la grandeur de caractères de ton choix.

`12 ▾`

5. Place le curseur sur le menu Style.
   Fais glisser le curseur sur le genre de caractères de ton choix.

`A ▾`

6. Place le curseur sur le menu Couleur.
   Fais glisser le curseur sur la couleur de ton choix.

I. Va dans le menu Fich.

2. Fais glisser le curseur jusqu'à Bibliothèque.
   Garde ton doigt sur la souris.

3. Fais glisser le curseur sur Animaux.

4. Pour voir défiler les animaux, utilise la barre de défilement.

5. Choisis un animal.
   Place le curseur sur l'animal.
   Le curseur se transforme en main.

6. Clique sur la souris.
   Appuie toujours sur la souris.
   Transporte ton animal sur ta feuille.

Fiche 9 (Macintosh ou PC)   Chercher un synonyme (AppleWorks)

1. Clique deux fois sur un mot.

2. Va dans le menu `Edit`

3. Fais glisser le curseur sur Orthographe.
Garde ton doigt sur la souris.

4. Fais glisser le curseur sur Dictionnaire des synonymes.

Orthographe ▲	
Recherche/Remplacement ▶	
Publication ▲	
Préférences...	
Afficher le Presse-papiers	

Vérifier le document...	⌘=
Vérifier la sélection...	
Césure automatique	
Dictionnaire des synonymes...	⇧⌘Z
Statistiques...	

PARTIE 2

Des ateliers à réaliser

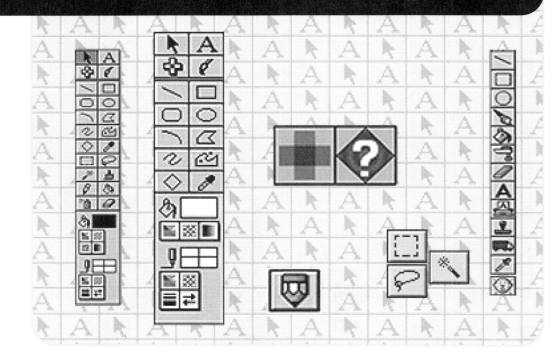

THÈME 1

Je suis, tu es...
J'aime, tu aimes...

En un coup d'œil

Ateliers :

A   Des choses que j'aime

B   Moi, c'est moi

C   Mon coin de paradis

D   Columbo

E   Le jeu des initiales

F   Le petit journal

G   Le coin des artistes

H   À l'ordinateur
      – Activité 1 : Affiches pour les casiers
      – Activité 2 : Carnet d'anniversaires

Compétences et contenus disciplinaires visés par les ateliers

Compétences transversales

1. D'ordre intellectuel
- Exploiter l'information.

2. D'ordre méthodologique
- Maîtriser certaines technologies de l'information et des communications (TIC).
- Réaliser des projets.
- Mettre en pratique des méthodes efficaces de travail intellectuel.

3. D'ordre personnel et social
- Affirmer son identité personnelle et sociale.
- Interagir avec les autres dans le respect de la diversité et de la différence.

4. D'ordre de la communication
- Communiquer de façon claire, précise et appropriée.

Éducation préscolaire
- Maîtriser son corps.
  - Exécuter des gestes moteurs globaux et fins.
- Affirmer sa personnalité.
  - Répondre à ses besoins physiques, cognitifs, affectifs et sociaux.
  - Partager ses goûts, ses champs d'intérêt, ses sentiments et ses émotions.
  - Faire preuve d'autonomie et prendre des responsabilités.
- Interagir avec les autres de façon harmonieuse.
  - Entrer en contact avec différentes personnes.
  - Tenir compte des autres.
- Participer à la vie du groupe.
  - Appliquer les règles de fonctionnement du groupe.
  - S'engager dans la vie du groupe.
  - Collaborer avec les autres élèves.
- Communiquer.
  - Développer des attitudes positives par rapport à la communication.
  - Comprendre un message.
  - Produire un message.
- Mener à terme un projet personnel en utilisant différents langages (verbal, symbolique, artistique).
  - S'engager dans la réalisation de son projet.
  - Appliquer des stratégies pour mener à terme son projet.
  - Transmettre les résultats de son projet selon le langage choisi.
  - Porter un jugement sur le projet réalisé.

1re, 2e et 3e année

Français
- Lire des textes littéraires et des textes courants.
  - Construire du sens en cours de lecture à l'aide des stratégies appropriées.
  - Bien comprendre l'information.
- Écrire des textes variés.
  - Préparer la production de son texte à l'aide des stratégies appropriées.
  - Rédiger son texte.
  - Réviser son texte.
  - Corriger son texte.
  - Évaluer sa démarche de compréhension.
- Communiquer oralement.
  - Acquérir le vocabulaire relié à l'espace, aux objets et au temps.

Mathématique
- Actualiser des concepts et des procédures mathématiques.
  - Établir des liens entre des éléments de l'espace.

Arts plastiques
- Réaliser des créations plastiques qui seront diffusées.
  - Appliquer une démarche de création.

Remarques générales

Ce thème démarre bien une année scolaire car il permet de créer une chimie dans le groupe. Pour ce qui est du préscolaire, il permet d'aborder la lecture et l'écriture d'une façon concrète et amusante (reconnaissance des prénoms, des lettres, etc.). En ce qui concerne la 1re, la 2e et la 3e année, ce thème permet de réviser plusieurs notions de lecture et d'écriture ainsi que la notion de mesure en mathématique.

Nous profitons de ce thème pour travailler avec les élèves sur la compréhension des buts qu'ils doivent atteindre durant l'année, pour entreprendre le portfolio, ou dossier d'apprentissage, pour préparer avec les élèves la rencontre de parents, pour présenter le journal de classe et pour mettre sur pied les conseils de coopération, ou conseils de classe, afin d'établir les règles de vie qui prévaudront dans la classe.

Suggestions visant le thème

Amorcer ce thème en présentant aux élèves vos goûts et vos champs d'intérêt et en préparant une activité telle que celle-ci : placer dans une boîte spécialement décorée des objets qui vous ressemblent, qui ont un lien avec votre personnalité, puis faire piger ces objets par les élèves et leur demander de vous questionner.

Inviter chaque élève à apporter un objet. Au cours de la semaine, prévoir des rassemblements afin que les élèves présentent les objets qu'ils ont apportés.

Prendre le temps de décrire aux élèves les différents ateliers.

Déroulement des ateliers

Atelier A : Des choses que j'aime

Éducation préscolaire :

Demander aux élèves de découper dans des revues ou des catalogues des illustrations qu'ils aiment.

Leur demander de coller leurs illustrations sur un carton de présentation et d'écrire leur nom.

Leur dire d'insérer leur travail dans une reliure déjà préparée et intitulée « Des choses que j'aime ».

(Affiche 1)

1re et 2e année :

Demander aux élèves de découper dans des revues ou des catalogues des illustrations qu'ils aiment.

Leur demander de classer leurs illustrations par catégories (au moins deux).

Leur dire de découper une silhouette (celle de la Fiche 1 ou de la Fiche 2) pour chaque catégorie et d'y coller les illustrations.

Leur dire d'écrire une phrase pour chaque catégorie.

Leur demander de prendre une dernière silhouette afin de faire la page de couverture et de se dessiner.

Leur demander d'agrafer leur production et la placer dans le coin lecture.

(Affiche 2 ; Fiches 1 et 2)

3e année :

Demander aux élèves de découper dans des revues ou des catalogues trois illustrations qu'ils aiment.

Leur dire de composer une devinette avec une des illustrations.

Leur demander de retranscrire la devinette sur le dos d'une enveloppe.

Leur dire de placer leurs illustrations dans l'enveloppe.

Placer les enveloppes dans le coin lecture.

(Affiche 3)

Atelier B : Moi, c'est moi

Demander aux élèves de remplir la fiche personnelle.

(Affiche 4 ; Fiches 3 et 4)

Atelier C : Mon coin de paradis

Éducation préscolaire :

Demander aux élèves d'indiquer un endroit où ils jouent dans la maison.

Échanger des idées à ce sujet et apporter des photos ou des illustrations.

Les élèves dessinent leur coin de jeu et écrivent le nom de l'endroit.

(Affiche 5)

1re, 2e et 3e année :

Faire avec les élèves un plan des alentours de l'école.

Leur donner des stratégies pour aborder les notions de base du plan.

Observer le plan avec les élèves.

Leur demander de faire un plan de leur rue en ajoutant des éléments naturels et humains (non seulement sous forme de dessins, mais aussi par écrit).

Leur dire d'inscrire leur numéro de porte et le nom de leur rue.

(Affiche 6)

Atelier D : Columbo

Présenter la fonction d'un sondage aux élèves.

Jumeler les élèves et afficher le résultat de ce jumelage.

L'élève 1 lit les questions à haute voix à l'élève 2 et l'élève 2 répond aux questions du sondage.

Ensuite, on inverse les rôles.

(Affiche 7 ; Fiches 5 et 6)

Atelier E : Le jeu des initiales

Éducation préscolaire :

Découvrir avec les élèves le nom de chaque lettre de l'alphabet.

Interpréter la chanson de l'alphabet avec eux.

Faire d'abord l'atelier avec son propre nom : chaque enseignante ou enseignant écrit ses initiales à l'intérieur de la « forme fantôme », puis demande aux élèves de tracer à leur tour les initiales.

Refaire l'atelier avec le nom de chacun des élèves.

Présenter l'objectif terminal, qui consiste à s'interpeller dans la classe par ses initiales.

(Affiche 8 ; Fiche 7)

1re, 2e et 3e année :

Découvrir avec les élèves comment on reconnaît les noms propres.

Faire un remue-méninges pour trouver des mots, classer ceux-ci par catégories, puis les afficher.

Écrire des noms propres en gros caractères sur des cartons.

Décorer les majuscules de chaque nom.

(Affiche 9)

Atelier F : Le petit journal

Éducation préscolaire :

Présenter aux élèves chacun des visages de la Fiche 8.

Trouver avec eux un adjectif qualificatif qui convient à chacun des visages.

Amener les élèves à se choisir chacun un visage.

Leur demander de coller ce visage dans le journal de classe et d'écrire leur prénom.

(Affiche 10 ; Fiche 8)

1re, 2e et 3e année :

Demander aux élèves de se dessiner en compagnie d'une amie ou d'un ami.

Leur demander d'écrire leur prénom et un souhait pour l'année.

Leur dire de coller leur travail dans le journal de classe s'il y a lieu, sinon créer une reliure intitulée « Moi et les autres ».

(Affiche 11)

Atelier G : Le coin des artistes

Établir avec les élèves une liste d'événements à l'occasion desquels on offre des cartes de souhaits (anniversaire, remerciement, naissance, décès, départ, maladie, etc.).

Leur proposer de fabriquer de telles cartes.

(Affiche 12)

Présentation de l'atelier à l'ordinateur[1]

Atelier H :
- Activité 1 : Affiches pour les casiers
- Activité 2 : Carnet d'anniversaires

Dans l'activité 1, les élèves du préscolaire se servent du dessin bitmap d'AppleWorks pour faire un dessin. Cela leur permet de dessiner comme s'ils avaient un pinceau. Dans l'activité 2, les élèves remplissent une base de données créée par l'enseignante ou l'enseignant.

Les élèves de 1re, 2e et 3e année pourront explorer le dessin vectoriel d'AppleWorks. Ils pourront faire de l'écriture et apprendre à la transformer. De même, ils pourront apprendre la manière d'utiliser l'outil Bibliothèque et de transformer un dessin.

Il est important d'avoir exploré auparavant les outils mentionnés ci-dessus et présentés dans la Partie 1 et de les afficher.

Déroulement des activités à l'ordinateur

Activité 1 : Affiches pour les casiers (AppleWorks, dessin bitmap)

Éducation préscolaire

Amorce

Présenter aux élèves la démarche qu'ils devront suivre pour fabriquer une affiche. Leur montrer comment ouvrir la feuille modèle prévue à cet effet.

Réalisation de l'activité

1. Sélectionner l'outil Pinceau.

2. Faire un dessin avec l'outil Pinceau.

3. Utiliser les outils Peindre ou Pulvériser.

4. Sélectionner l'outil Texte.

5. Écrire son prénom et son nom.

6. Imprimer.

(Affiche 13)

----

1. Les outils utilisés pour ces ateliers proviennent du logiciel AppleWorks.

Retour sur l'activité

Les élèves colorient, puis découpent leur affiche. Ils prennent un morceau de papier à recouvrir et placent l'affiche sur leur casier, à l'endroit prévu.

Aller observer avec les élèves les différentes affiches sur les casiers. Faire remarquer l'apparence des caractères, les dessins. Rappeler les nouvelles commandes qui ont été apprises.

Activité 1 : Affiches pour les casiers (AppleWorks, dessin vectoriel)

1re, 2e et 3e année

Amorce

Présenter aux élèves la démarche qu'ils devront suivre pour fabriquer une affiche. Leur montrer comment ouvrir la feuille modèle prévue à cet effet.

Réalisation de l'activité

1. Ouvrir la feuille modèle.

2. Sélectionner l'outil Texte et cliquer dans le document.

3. Choisir la police, le corps et le style.

4. Écrire son prénom et son nom.

5. Cliquer sur Fich., faire glisser le curseur sur Bibliothèque, le faire glisser sur la banque d'images désirée. (La banque peut être préparée à l'avance par l'enseignante ou l'enseignant.)

6. Faire glisser le dessin et le déposer sur l'écran.

7. Agrandir le dessin.

8. Imprimer l'affiche.

(Affiche 14)

Retour sur l'activité

Les élèves découpent leur affiche. Ils prennent un morceau de papier à recouvrir et placent l'affiche sur leur casier, à l'endroit prévu.

Aller observer avec les élèves les différentes affiches sur les casiers. Faire remarquer l'apparence des caractères, les dessins. Rappeler les nouvelles commandes qui ont été apprises.

Activité 2 : Carnet d'anniversaires

Amorce

Expliquer aux élèves le rôle de ce carnet dans la classe. Les élèves doivent remplir une fiche d'identité avec leurs parents à la maison.

(Fiches 9 et 10)

Réalisation de l'activité

Les élèves remplissent la base de données (modèle que doit créer l'enseignante ou l'enseignant).

Retour sur l'activité

1. Les élèves doivent faire le montage du carnet. Placer les fiches en ordre alphabétique. Penser à créer une page de couverture et trouver un endroit où ranger le carnet dans la classe.

2. Prendre les dates de naissance inscrites dans le carnet et les placer sur la ligne du temps dans la classe.

3. Présenter aux élèves des graphiques faits à partir de la base de données et les analyser.

Lorsque le thème est terminé, les élèves doivent faire une autoévaluation des ateliers qu'ils ont vécus.

(Fiche d'autoévaluation)

Affiche 1

Thème 1
Atelier A **Des choses que j'aime**

(Préscolaire)

1. Trouve dans des revues des images que tu aimes. Découpe-les correctement.

2. Colle les images sur un carton.

3. Écris ton nom.

Affiche 2

Thème 1
Atelier A **Des choses que j'aime**

(1re et 2e année)

1. Trouve dans des revues des images que tu aimes. Découpe-les correctement.

2. Classe les images par catégories (au moins deux catégories). (Exemples : aliments, vêtements, jouets, activités, animaux, etc.)

3. Pour chaque catégorie, découpe une silhouette (fille ou garçon). Colle les images sur la silhouette.

4. Écris une phrase qui convient à la catégorie.

5. Prends une dernière silhouette pour la couverture. Dessine-toi.

1. Trouve dans des revues des images que tu aimes. Découpe-les correctement.

2. Compose une devinette.

3. Écris la devinette sur une enveloppe.

4. Place les images dans l'enveloppe.

Remplis la fiche personnelle.

Affiche 5 Thème 1
Atelier C **Mon coin de paradis** (Préscolaire)

1. Dessine ton coin de jeu.

2. Écris le nom de cet endroit.

Affiche 6 Thème 1
Atelier C **Mon coin de paradis** (1re, 2e et 3e année)

1. Dessine ta rue, ta maison et les maisons voisines de gauche et de droite.

2. Ajoute cinq éléments naturels et cinq éléments humains.

3. Écris ton numéro de porte et le nom de ta rue.

1. Va voir avec qui on te jumelle.

2. Pose les questions à ton amie
   ou à ton ami. Celle-ci ou celui-ci
   doit colorier les bonshommes Oui ou Non.

3. Maintenant, c'est à ton amie
   ou à ton ami de te poser
   les questions.

1. Prends une silhouette fantôme.

2. Demande à ton enseignante
   ou à ton enseignant d'écrire
   tes initiales.

3. Trace tes initiales par-dessus.

4. Attache une ficelle à ta silhouette.

5. Porte ton nouveau collier.

Affiche 9 | Thème 1 Atelier E | **Le jeu des initiales** | (1re, 2e et 3e année)

Catherine  *Alexandre*

1. Prends des cartons de couleur.

2. Choisis un ou plusieurs noms propres.

3. Écris un nom propre sur chacun des cartons.

4. Décore les lettres majuscules de chaque nom propre.

Affiche 10 | Thème 1 Atelier F | **Le petit journal** | (Préscolaire)

1. Choisis un visage qui montre comment tu te sens en classe.

2. Colle-le sur une page du journal de classe.

3. Écris ton prénom.

1. Sur une feuille, dessine-toi avec une amie ou un ami de l'école.

2. Écris ton prénom et le sien.

3. Écris un souhait pour cette année.

4. Colle ton travail dans le journal de classe.

1. Choisis un thème parmi les sujets affichés.

2. Prends un carton de couleur.

3. Plie-le en deux pour faire une carte.

4. Fais un dessin ou un collage qui correspond au thème choisi.

Affiche 13

Thème 1 Activité 1
Atelier H **Affiches pour les casiers**

(Préscolaire)

1. Fais un dessin avec l'outil Pinceau.

2. Utilise les outils Peindre
   ou Pulvériser.

3. Écris ton prénom et ton nom.

Affiche 14

Thème 1 Activité 1
Atelier H **Affiches pour les casiers**

(1re, 2e et 3e année)

1. Ouvre le modèle.

2. Clique une fois sur
   l'outil Texte.

3. Choisi la police, le corps et le style.

4. Place ton curseur dans
   le rectangle déjà créé.

5. Écris ton prénom et ton nom.

6. Choisis un dessin dans Bibliothèque.

Fiche 1 Thème 1
Atelier A **Des choses que j'aime**

(1re et 2e année)

Fiche 2

Thème 1
Atelier A   **Des choses que j'aime**

(1ʳᵉ et 2ᵉ année)

(Préscolaire, 1re, 2e et 3e année)

Je mesure _____ centimètres.

Je pèse _____ kilogrammes.

J'ai perdu _____ dents.

Je mesure la longueur de mes doigts :

pouce : _____ centimètres

index : _____ centimètres

majeur : _____ centimètres

annulaire : _____ centimètres

auriculaire : _____ centimètres

Je mesure la longueur de mon pied : _____ centimètres

Fiche 4

**Thème 1
Atelier B** **Moi, c'est moi**

(Préscolaire, 1ʳᵉ, 2ᵉ et 3ᵉ année)

Je mesure _____ centimètres.

Je pèse _____ kilogrammes.

J'ai perdu _____ dents.

Je mesure la longueur de mes doigts :

pouce : _____ centimètres

index : _____ centimètres

majeur : _____ centimètres

annulaire : _____ centimètres

auriculaire : _____ centimètres

Je mesure la longueur de mon pied : _____ centimètres

Fiche 5

Thème 1
Atelier D   **Columbo**

(Préscolaire et 1ʳᵉ année)

Aimes-tu...

faire de la
bicyclette ?

oui   non

les chiens ?

oui   non

le beurre
d'arachide ?

oui   non

te baigner ?

oui   non

chanter ?

oui   non

le lait ?

oui   non

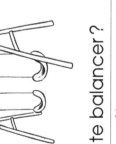

te balancer ?

oui   non

faire un casse-tête ?

oui   non

les bonbons ?

oui   non

jouer au hockey ?

oui   non

l'halloween ?

oui   non

les chats ?

oui   non

Nom : _____

Fiche 6

Thème 1
Atelier D   Columbo

(2e et 3e année)

As-tu déjà visité la Ronde avec tes parents ?
oui   non

Aimes-tu danser avec tes amies ou tes amis ?
oui   non

Fais-tu des constructions en Lego ?
oui   non

Portes-tu des lunettes ?
oui   non

As-tu déjà fait une chute à bicyclette ?
oui   non

Aimes-tu chanter ?
oui   non

Aimes-tu faire du bricolage ?
oui   non

Ta collation préférée est-elle une pomme ?
oui   non

Fais-tu de la bicyclette ?
oui   non

Apprends-tu le piano ?
oui   non

Aimes-tu colorier ?
oui   non

Es-tu allergique au beurre d'arachide ?
oui   non

Est-ce que tu aimes patiner ?
oui   non

As-tu déjà assisté à un feu d'artifice ?
oui   non

As-tu un petit bébé à la maison ?
oui   non

Fais-tu ton lit tous les matins ?
oui   non

Fiche 7 Thème 1
Atelier E   **Le jeu des initiales**   (Préscolaire)

Fiche 8 Thème 1
Atelier F   **Le petit journal**   (Préscolaire)

Fiche 9 Thème 1 Activité 2
Atelier H **Carnet d'anniversaires**

(Préscolaire,
1re, 2e et 3e année)

Remplis cette fiche à la maison.

1. Écris ton nom.

2. Écris ton prénom.

3. Écris ta date de naissance.

Fiche 10 Thème 1 Activité 2
Atelier H **Carnet d'anniversaires**

(Préscolaire,
1re, 2e et 3e année)

Remplis cette fiche à l'école.

1. Écris ton nom.

2. Écris ton prénom.

3. Écris ta date de naissance.

Fiche d'auto-évaluation   Thème 1   **Je suis, tu es…**   (Préscolaire,
J'aime, tu aimes…   1re, 2e et 3e année)

1. Dis si tu as fait l'atelier.

oui   non

Des choses que j'aime   A

Moi, c'est moi   B

Mon coin de paradis   C

Columbo   D

Le jeu des initiales   E

Le petit journal   F

Le coin des artistes   G

Atelier à l'ordinateur   H

Affiches pour les casiers

Carnet d'anniversaires

2. Si oui, entoure la lettre de l'atelier selon ton appréciation.

<u>Vert</u> : Je l'ai aimé beaucoup.

<u>Jaune</u> : Je l'ai aimé un peu.

<u>Rouge</u> : Je ne l'ai pas aimé.

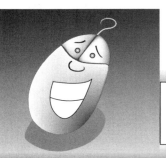

THÈME 2

Une histoire à lire et à écouter

En un coup d'œil

Ateliers :

A   Des graffiti

B   Faire un plan

C   Les souris

D   Les cerises de Louise

E   Les animaux nocturnes

F   Un rêve ou un cauchemar

G   Les peurs

H   À l'ordinateur
  – Activité 1 : Lecture de *Bérengère n'a peur de rien* sur cédérom
  – Activité 2 : Un lexique
  – Activité 3 : Questions sur le texte
  – Activité 4 : Les chansons (cédérom)

Compétences et contenus disciplinaires visés par les ateliers

Compétences transversales

1. D'ordre intellectuel

• Exploiter l'information.

2. D'ordre méthodologique

• Maîtriser certaines technologies de l'information et des communications (TIC).

• Mettre en pratique des méthodes efficaces de travail intellectuel.

3. D'ordre de la communication

• Communiquer de façon claire, précise et appropriée.

Éducation préscolaire

• Communiquer.
  - Développer des attitudes positives par rapport à la communication.

- Comprendre un message.
- Produire un message.

1re, 2e et 3e année

Français

• Lire des textes littéraires et des textes courants.
  - Préparer la lecture de son texte à l'aide des stratégies appropriées.
  - Construire du sens en cours de lecture à l'aide des stratégies appropriées.
  - Réagir au texte.
  - Bien comprendre l'information.
  - Évaluer sa démarche de compréhension.

Remarques générales

Ce thème met l'accent sur la lecture. Il permet à l'élève de se familiariser avec un type de livres, le miniroman. Selon son âge, l'élève pourra lire ou écouter le récit. La plupart des ateliers sont inspirés par le cédérom *Bérengère n'a peur de rien*. Il y est question des peurs et des cauchemars. En vivant les ateliers dans la classe, les élèves exploreront différents domaines d'apprentissage dont le français (lecture), la mathématique, les arts plastiques, les sciences, le développement personnel et l'ordinateur. Le cédérom proposé nous fait connaître une petite souris courageuse du nom de Bérengère et sa sœur Louise. Il est accompagné d'un petit livre que l'enseignante ou l'enseignant peut lire comme amorce. Les élèves peuvent lire le livre à l'écran, parler de leur lecture, faire une chasse au trésor et chanter les chansons de l'histoire.

Suggestions visant le thème

Pendant les trois ou quatre semaines que durera le thème, mettre l'accent sur les livres. Chaque jour, veiller à lire une courte histoire aux élèves en prenant soin de leur présenter l'auteure ou l'auteur et l'illustratrice ou l'illustrateur. Leur donner des renseignements sur les différents types de livres qui existent : les bandes dessinées, les albums, les romans, les documentaires, etc.

On pourrait aussi prévoir une visite à la bibliothèque du quartier ou inviter des parents pour animer une heure du conte.

Préparer un coin lecture en faisant l'inventaire des livres qui appartiennent à la classe et les classer selon leur degré de difficulté.

Il est également possible, dans le contexte de la communication orale, d'inviter les élèves à parler aux autres d'un livre qu'ils ont lu ou qui leur a été raconté.

Déroulement des ateliers

Atelier A : Des graffiti

Créer, en arts plastiques, un mur de graffiti dans la classe, en s'inspirant du modèle de l'histoire.

Atelier B : Faire un plan

Construire un plan et composer des consignes pour qu'une amie ou un ami puisse se diriger.

Préscolaire et 1re année :

Les consignes peuvent être faites oralement.

2e et 3e année :

Les consignes peuvent être écrites.

Atelier C : Les souris

Exploiter le cédérom *Les animaux* (Encyclopédie Hachette multimédia Junior). Chercher des informations sur les souris pour remplir une fiche ou faire une minirecherche. Aller prendre des livres sur ce thème à la bibliothèque.

Atelier D : Les cerises de Louise

Préscolaire :

Explorer, en mathématique, les notions de quantités suivantes : plus, moins, égal.

1re et 2e année :

Explorer, en mathématique, les termes « plus grand », « plus petit » et « égal ».

Atelier E : Les animaux nocturnes

Chercher des animaux qui vivent surtout la nuit. Faire un dessin ou une peinture. Apporter des livres sur le sujet. Les présenter à la classe.

Atelier F : Un rêve ou un cauchemar

Séparer une feuille en deux : dessiner, d'un côté, un rêve et, de l'autre, un cauchemar. Mettre l'accent sur les détails et la couleur pour qu'on voie bien la différence entre le rêve et le cauchemar.

Atelier G : Les peurs

Faire une petite enquête auprès de la famille, des amies et des amis et des camarades de classe pour connaître leurs peurs. Trouver une manière originale de présenter les résultats.

Présentation de l'atelier à l'ordinateur

Atelier H :   - Activité 1 : Lecture de *Bérengère n'a peur de rien* sur cédérom
                   - Activité 2 : Un lexique
                   - Activité 3 : Questions sur le texte
                   - Activité 4 : Les chansons (cédérom)

Déroulement des activités à l'ordinateur

Activité 1 : Lecture de *Bérengère n'a peur de rien* sur cédérom

Amorce

1. Montrer le livre aux élèves. Leur lire le titre et leur faire deviner le contenu en observant l'image de la page de couverture et en discutant du titre. Parler de la collection « Castor poche », puisqu'il y a d'autres titres dans cette collection. Demander aux élèves s'ils aimeraient qu'on leur lise le livre ou s'ils préfèrent le lire eux-mêmes.

2. Montrer aux élèves le boîtier du cédérom et leur expliquer qu'il contient la même histoire que le livre.

3. Indiquer les icônes à utiliser pour lire l'histoire ou l'écouter.

Réalisation de l'activité

Les élèves doivent indiquer s'ils veulent lire l'histoire de Bérengère ou l'écouter.

Retour sur l'activité

Les élèves doivent remplir une Fiche d'autoévaluation.

(Fiches d'autoévaluation 1 et 2)

Activité 2 : Un lexique

Amorce

À la suite de la lecture ou de l'écoute de l'histoire, demander aux élèves s'il y a des mots qu'ils n'ont pas compris dans le texte. En faire la liste avec eux en demandant à toute la classe ce que ces mots signifient. Émettre des hypothèses. Préciser aux élèves que la traduction est européenne et donner des exemples de différences entre le français parlé en Europe et celui que l'on parle ici. Par exemple, là-bas on dit « foot », tandis qu'ici on emploie le mot « soccer »…

Réalisation de l'activité

Énumérer avec les élèves des moyens de trouver la signification des mots. On peut regarder devant eux dans le dictionnaire ou leur demander de faire une recherche auprès de leurs parents au cours de la semaine.

Retour sur l'activité

Recueillir les données trouvées par les élèves. Ils peuvent présenter leurs découvertes de façon originale, en employant des objets ou en mimant les mots. La Fiche 1 comprend quelques mots avec leur illustration.

(Fiche 1)

Activité 3 : Questions sur le texte

Amorce

Demander aux élèves de raconter dans leurs propres mots l'histoire de Bérengère. Leur faire raconter plusieurs aventures de la petite souris. Écrire des mots-clés au tableau ou sur une grande feuille blanche. Leur dire que cela pourra les aider pendant l'activité.

Réalisation de l'activité

Préscolaire :

Avant de faire faire l'activité, demander aux élèves de nommer les images de la Fiche 2 et de dire par quelles lettres ces mots commencent.

(Fiche 2)

1re et 2e année :

Les élèves doivent compléter des phrases tirées de l'histoire. On peut les faire travailler à deux.

(Fiche 3)

3e année :

Les élèves doivent décrire le personnage.

(Fiche 4)

Retour sur l'activité

Faire la correction par un retour collectif (un questionnement sur les différentes réponses des élèves).

Activité 4 : Les chansons (cédérom)

Amorce

1. Montrer aux élèves comment trouver les chansons de Bérengère sur le cédérom.

2. Leur indiquer comment changer de chanson et comment faire rejouer la même chanson.

Réalisation de l'activité

1. En groupe de trois ou quatre, les élèves écoutent les chansons sur le cédérom.

2. Les élèves choisissent leur chanson préférée et l'apprennent par cœur.

Retour sur l'activité

1. Présenter les chansons à toute la classe.

2. Demander aux élèves de justifier leur choix.

3. Demander l'appréciation des pairs.

Fiche d'auto-évaluation I | Thème 2   Activité 1
Atelier H   **Bérengère n'a peur de rien** | (Préscolaire et 1re année)

Colorie tes réponses.

oui   non

1. As-tu écouté l'histoire ?

2. As-tu aimé l'histoire ?

3. As-tu fait la chasse au trésor ?

4. As-tu aimé la chasse au trésor ?

5. As-tu écouté les chansons ?

6. As-tu aimé les chansons ?

Fiche d'auto-évaluation 2 | Thème 2 Activité 1 | Atelier H **Bérengère n'a peur de rien** | (2e et 3e année)

Colorie la réponse qui correspond à ce que tu penses.

	beaucoup	**un peu**	**pas du tout**

1. J'ai aimé lire cette histoire :

2. Compare ta satisfaction avec celle d'une amie ou d'un ami.

Ton amie ou ton ami s'appelle : _____ .

	beaucoup	**un peu**	**pas du tout**

Ton amie ou ton ami a aimé lire cette histoire :

	oui	**non**

3. As-tu eu des difficultés à lire l'histoire ?

4. Si oui, quels moyens de dépannage as-tu utilisés ?

   a) Tes connaissances.

   b) Celles de ton amie ou de ton ami.

   c) Celles de ton enseignante ou de ton enseignant.

Nom : _____

Fiche d'auto-évaluation 2 (suite)

Thème 2   Activité 1
Atelier H   **Bérengère n'a peur de rien**

(2e et 3e année)

5. Dessine l'aventure du livre que tu as préférée.

6. À quel personnage du livre te compares-tu ?

_____.

7. As-tu du courage ?

beaucoup   **un peu**   **pas du tout**

Fiche 1 | Thème 2 Activité 2 | (Préscolaire,
Atelier H **Un lexique** | 1ʳᵉ, 2ᵉ et 3ᵉ année)

sangloter

choses terrifiantes

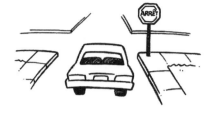

carrefour

pouffer de rire

poule mouillée

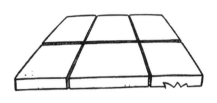

dalles

se moquer

chiper

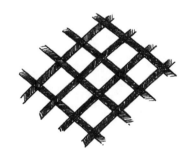

grillage

être impressionné(e)

se précipiter

placard

Fiche 2

Thème 2　Activité 3
Atelier H　**Questions sur le texte**

(Préscolaire)

Associe le mot à la bonne image.

araignée

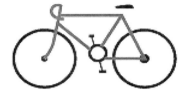

jardin

chien

vélo

souris

Fiche 3   Thème 2   Activité 3
Atelier H   **Questions sur le texte**   (1re et 2e année)

1. Complète les phrases. Choisis les mots dans la liste du bas.

Bérengère dit : « J'adore les _____. »

Elle n'a peur ni des éclairs, ni du _____.

Bérengère dit que les _____ ressemblent
à des araignées.

Bérengère fait croire à Louise qu'entre les dalles
se cache un _____.

Elle montre les _____ aux chats.

Bérengère	cerises	sœur	araignées
les	sa	monstre	dents
tonnerre	dans	se précipite	bras
de			

2. Compose une phrase avec les mots que tu n'as pas utilisés.

_____

_____

Fiche 4

Thème 2   Activité 3
Atelier H   **Questions sur le texte**

(3e année)

1. Quel est le nom de ton personnage ?_____

2. Colorie la réponse qui décrit le mieux ton personnage :

| | beaucoup | un peu | pas du tout |

_____ est comme moi.

_____ est comme
ma meilleure
amie ou mon
meilleur ami.

_____ est comme
l'élève la ou le
plus populaire
de la classe.

3. Écris ta propre comparaison :

_____ est comme _____.

4. Écris cinq choses qui ne font pas peur
   à ton personnage :

_____

_____

5. Quelle est la plus grande qualité
   de ton personnage ?

_____

_____

THÈME 3

Halloween

En un coup d'œil

Ateliers :

A	Le squelette
B	Un costume
C	Citrouillette
D	Où sont-ils ?
E	Associations
F	Le parcours de la sorcière
G	Deux expériences
H	À l'ordinateur
	– Activité 1 : Affiche pour la porte
	– Activité 2 : Histoire collective

Compétences et contenus disciplinaires visés par les ateliers

Compétences transversales

1. D'ordre intellectuel
- Exploiter l'information.
- Exploiter sa créativité.

2. D'ordre méthodologique
- Réaliser des projets.
- Maîtriser certaines technologies de l'information et des communications (TIC).
- Mettre en pratique des méthodes efficaces de travail intellectuel.

3. D'ordre personnel et social
- Interagir avec les autres dans le respect de la diversité et de la différence.

4. D'ordre de la communication
- Communiquer de façon claire, précise et appropriée.
- Exploiter les différents éléments de la communication.

Éducation préscolaire
- Maîtriser son corps.
    - Exécuter des gestes moteurs fins.
- Affirmer sa personnalité.
    - Développer sa confiance en soi.
    - Faire preuve d'autonomie et prendre des responsabilités.
- Interagir avec les autres de façon harmonieuse.
    - Entrer en contact avec différentes personnes.
    - Tenir compte des autres.
- Participer à la vie du groupe.
    - Collaborer avec les autres élèves.
- Communiquer.
    - Développer des attitudes positives par rapport à la communication.
    - Comprendre un message.
- Produire un message.
- Mener à terme un projet personnel en utilisant différents langages (verbal, symbolique, artistique).

- S'engager dans la réalisation de son projet.
- Appliquer des stratégies pour mener à terme son projet.
- Transmettre les résultats de son projet selon le langage choisi.
- Porter un jugement sur le projet réalisé.

1re, 2e et 3e année

Français
- Lire des textes littéraires et des textes courants.
    - Construire du sens en cours de lecture à l'aide des stratégies appropriées.
    - Bien comprendre l'information.
- Écrire des textes variés.
    - Préparer la production de son texte à l'aide des stratégies appropriées.
    - Rédiger son texte.
    - Réviser son texte.
    - Corriger son texte.
    - Évaluer sa démarche de compréhension.

Mathématique
- Actualiser des concepts et des procédures mathématiques.
    - Jongler avec les nombres.
    - Établir des liens entre des éléments de l'espace.
- Apprécier la contribution de la mathématique à la vie quotidienne.

Sciences et technologie
- Exploiter le langage propre aux sciences et à la technologie.

Géographie, histoire et éducation à la citoyenneté
- Reconnaître des points de repère sur un plan.

Arts plastiques
- Réaliser des créations plastiques qui seront diffusées.

Remarques générales

L'halloween est un thème très important pour les enfants de cet âge. Nous avons remarqué que, grâce à ce thème, nous arrivions à capter l'intérêt de certains élèves qui, jusque-là, semblaient moins réceptifs. Les ateliers de ce thème permettront à l'élève de développer ses compétences d'ordre méthodologique par la réalisation d'un projet, la maîtrise de la technologie informatique ou la découverte de méthodes de travail efficaces.

Au cours de ces ateliers, l'élève abordera les domaines d'apprentissage suivants : le français, la mathématique, les sciences et la technologie, la géographie, l'histoire et l'éducation à la citoyenneté ainsi que les arts plastiques.

Note : Pour ce thème, des affiches concernant tous les ateliers ainsi qu'une auto-évaluation du thème sont fournies.

Suggestions visant le thème

Ce thème ne requiert pas d'amorce bien structurée. En effet, les élèves adhèrent vite à cette vision « halloweenesque ». La première journée du thème se déroule ainsi : chaque équipe se fabrique une mascotte. Le but de cette activité est de connaître les nouveaux membres de son équipe. Durant cette activité, il faut arrêter les élèves à plusieurs reprises afin de leur présenter les ateliers. À la fin de ces présentations, on détermine les règles de fonctionnement pour les trois semaines, et c'est parti !

Déroulement des ateliers

Atelier A : Le squelette

Éducation préscolaire :

Faire assembler un squelette.

1re, 2e et 3e année :

Identifier quelques os du squelette humain.

(Affiche 1)

Atelier B : Un costume

Travailler deux par deux.

Tracer la silhouette d'une amie ou d'un ami sur une grande feuille blanche.

Déguiser la silhouette à l'aide de crayons, de peinture et de carton.

(Affiche 2)

Atelier C : Citrouillette

Décorer une citrouille avec divers matériaux.

(Affiche 3)

Éducation préscolaire :

Trouver un nom et l'écrire sur un carton.

(Fiche 1)

1re année :

Remplir la fiche pour décrire sa réalisation.

(Fiche 2)

2e et 3e année :

Composer un texte pour décrire sa réalisation.

(Fiches 3 et 4)

Atelier D : Où sont-ils ?

Jouer à la bataille navale. Identifier des objets « halloweenesques » placés sur le quadrillage.

(Affiche 4 ; Fiche 5)

Atelier E : Associations

Éducation préscolaire et 1re année :

Associer les lettres de l'alphabet avec des mots concernant l'halloween : « s » comme « sorcière », etc.

2e et 3e année :

Associer des illustrations avec des mots ou encore avec des phrases.

Suggestion : Acheter des affiches représentant le thème de l'halloween, puis composer avec les élèves des phrases qui ont un lien avec ces affiches. Cette activité peut ensuite faire l'objet d'un atelier.

(Affiche 5)

Atelier F : Le parcours de la sorcière

Éducation préscolaire et 1re année :

Jouer à un jeu de parcours (serpents, échelles).

2e et 3e année :

Fabriquer un jeu de parcours avec des dés et des jetons. Pendant le parcours, les élèves doivent résoudre des équations simples. Ils accumulent des bonbons chaque fois qu'ils ont une bonne réponse. L'élève qui obtient le plus grand nombre de bonbons gagne la partie.

Pour fabriquer ce jeu, prendre un carton (quatre plis). Découper les différentes consignes et équations de la Fiche 6, puis les coller sur le carton de façon à faire un parcours. Décorer ensuite le carton et le plastifier.

(Affiche 6 ; Fiche 6)

Atelier G : Deux expériences

Prendre des expériences dans des revues telles que *Coulicou*.

(Affiche 7)

Présentation de l'atelier à l'ordinateur

Atelier H :   - Activité 1 : Affiche pour la porte
- Activité 2 : Histoire collective

Déroulement des activités à l'ordinateur

Activité 1: Affiche pour la porte

Amorce

Présenter aux élèves la Fiche de référence 1.

Revoir avec les élèves la façon de transformer les dessins et l'apparence des caractères et de se servir de l'outil Bibliothèque.

Faire une feuille modèle pour les élèves. Placer cette feuille modèle sur le bureau de votre ordinateur.

Créer une nouvelle bibliothèque du nom d'Halloween. À partir d'une banque de dessins fournie par l'école, remplir une bibliothèque (voir, dans la Partie 1, la Fiche « Utiliser l'outil Bibliothèque »).

Réalisation de l'activité

Les élèves doivent suivre la Fiche de référence 1, qui a été placée dans le coin ordinateur.

Retour sur l'activité

Faire remplir la Fiche d'autoévaluation 1.

Préparer un tableau d'aide en informatique. Exemple : Qui peut aider une ou un élève à utiliser la Bibliothèque ? Les élèves intéressés inscrivent leur nom. Ainsi, les apprenantes et les apprenants obtiendront l'aide de leurs pairs en plus de celle de l'enseignante ou de l'enseignant.

(Affiche 8 ; Fiche de référence 1 ; Fiche d'autoévaluation 1)

Activité 2 : Histoire collective

Amorce

1. Vivre une situation d'écriture collective sur le thème de l'halloween. Pour cela, choisir avec les élèves des personnages, un lieu, un problème et une solution.

2. Composer une histoire avec les élèves. Écrire l'histoire sur une grande feuille blanche, qui sera affichée par la suite dans le coin ordinateur.

Réalisation de l'activité

Lors des ateliers, à tour de rôle, les élèves écrivent une phrase avec le dessin vectoriel et font un dessin avec les outils bitmap et à l'aide des consignes de la Fiche de référence 2.

Retour sur l'activité

Quand tout le monde a terminé sa partie, l'enseignante ou l'enseignant présente aux élèves le diaporama.

Les élèves remplissent la Fiche d'autoévaluation 2.

(Affiche 9 ; Fiches de référence 2 à 4 ; Fiche d'autoévaluation 2)

Affiche 1

Thème 3
Atelier A **Le squelette**

(Préscolaire,
1re, 2e et 3e année)

1. Fabrique le squelette avec une amie ou un ami.

2. Décore-le à ton goût.

Affiche 2

Thème 3
Atelier B **Un costume**

(Préscolaire,
1re, 2e et 3e année)

1. Trace la silhouette d'une amie ou d'un ami.

2. Déguise la silhouette.

Affiche 3

**Thème 3
Atelier C** **Citrouillette**

Décore ta petite citrouille.

Affiche 4

**Thème 3
Atelier D** **Où sont-ils ?**

Grille géante, crayon et objets.

C'est une bataille navale.

Bonne partie !

| Affiche 5 | Thème 3 Atelier E | **Associations** | (2e et 3e année) |

Place les phrases avec les bonnes images.

| Affiche 6 | Thème 3 Atelier F | **Le parcours de la sorcière** | (2e et 3e année) |

Suis le parcours.

L'élève qui ramasse le plus de bonbons gagne la partie.

| **Affiche 7** | Thème 3
Atelier G | **Deux expériences** | (Préscolaire,
1re, 2e et 3e année) |

Les sous dans l'eau

Vol de chauve-souris

| **Affiche 8** | Thème 3
Atelier H | Activité 1
Affiche pour la porte | (Préscolaire,
1re, 2e et 3e année) |

Une affiche pour ta porte

| **Affiche 9** | Thème 3
Atelier H | Activité 2
Histoire collective | (Préscolaire,
1re, 2e et 3e année) |

Une histoire collective
en diaporama

Nom : _____

Objectif : reconnaître sa capacité à utiliser les outils d'AppleWorks.

oui   **non**

1. Je suis capable
   de me servir de l'outil Texte.

2. Je suis capable
   de transformer l'apparence
   des lettres.

3. Je suis capable
   d'aller dans l'outil Bibliothèque.

4. Je suis capable
   de faire glisser un dessin
   sur ma feuille de travail.

5. Je suis capable
   de dupliquer mon dessin.

6. Je suis capable
   de diminuer mon dessin.

7. Je suis capable
   d'agrandir mon dessin.

Mon défi pour
le prochain travail
sur AppleWorks :

_____

_____

_____

Fiche d'auto-évaluation 2

Thème 3   **Halloween**

(Préscolaire, 1re, 2e et 3e année)

Trace le contour du fantôme en orange si tu as fait l'atelier.

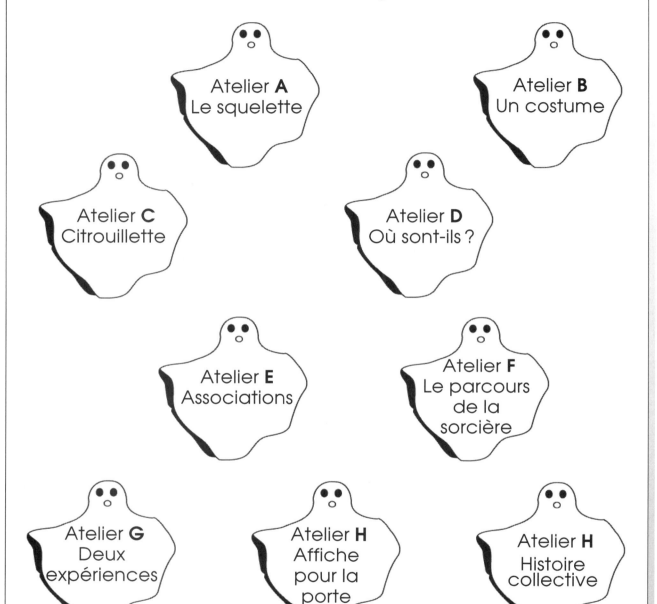

Atelier **A**
Le squelette

Atelier **B**
Un costume

Atelier **C**
Citrouillette

Atelier **D**
Où sont-ils ?

Atelier **E**
Associations

Atelier **F**
Le parcours
de la
sorcière

Atelier **G**
Deux
expériences

Atelier **H**
Affiche
pour la
porte

Atelier **H**
Histoire
collective

Je ne pensais pas réussir l'atelier suivant : _____.

Je l'ai réussi parce que j'ai travaillé fort. Quelle fierté !

Nom : _____

Ma petite citrouille

s'appelle : _____

_____

Sa tête est : _____.

Ses bras sont : _____.

Son corps est : _____.

Ses jambes sont : _____

_____.

Ma citrouille

s'appelle : _____.

Fiche 3 **Thème 3**
Atelier C **Citrouillette** (2e et 3e année)

Compose un texte pour décrire ta petite citrouille.

Suggestions :

Sa tête est : _____.

Ses bras sont : _____.

Son corps est : _____.

Ses jambes sont : _____.

Sur la tête, elle porte :

_____.

Ma citrouille s'appelle : _____.

1. Écris ton brouillon.

2. Relis ton texte avec une amie ou un ami.

3. Révise ton texte en pensant aux règles de grammaire affichées dans ta classe.

4. Écris ton texte au propre.

Fiche 4

Thème 3
Atelier C **Citrouillette**

(2e et 3e année)

Écris maintenant ton texte.

_____

_____

_____

_____

_____

_____

_____

_____

_____

_____

Fiche 5 | Thème 3
Atelier D **Où sont-ils ?** | (Préscolaire, 1ʳᵉ, 2ᵉ et 3ᵉ année)

	1	2	3	4	5	6	7	8	9	10
A										
B										
C										
D										
E										
F										
G										
H										
I										
J										

Fiche 6

Thème 3
Atelier F **Le parcours de la sorcière** (2e et 3e année)

 Recule de 2

 Avance de 4

 Recule de 3

 Avance de 2

 Donne une dizaine de bonbons à la sorcière

 Donne trois dizaines de bonbons à la sorcière

 Passe ton tour

 Donne une douzaine de bonbons à la sorcière

 Donne 20 bonbons à la sorcière

 Passe ton tour

 Donne 15 bonbons à la sorcière

 Avance de 2

Fiche 6 (suite)

Thème 3
Atelier F   **Le parcours de la sorcière**   (2e et 3e année)

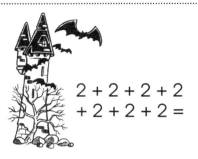
$$2 + 2 + 2 + 2 + 2 + 2 + 2 =$$

$$6 + 3 + 0 - 2 - 4 + 8 + 1 =$$

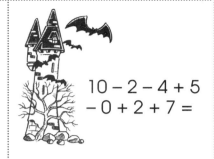
$$10 - 2 - 4 + 5 - 0 + 2 + 7 =$$

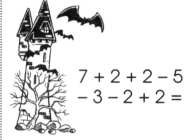
$$7 + 2 + 2 - 5 - 3 - 2 + 2 =$$

$$9 + 0 + 1 - 7 - 3 + 4 + 5 =$$

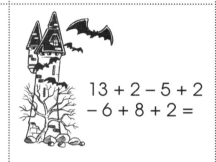
$$13 + 2 - 5 + 2 - 6 + 8 + 2 =$$

$$8 + 4 - 3 + 2 - 4 - 0 + 6 =$$

$$7 + 2 + 2 + 4 - 6 + 2 - 5 =$$

$$0 + 10 + 5 - 4 - 3 + 4 + 2 =$$

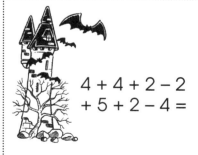
$$4 + 4 + 2 - 2 + 5 + 2 - 4 =$$

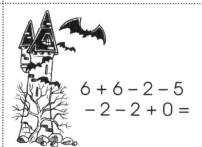
$$6 + 6 - 2 - 5 - 2 - 2 + 0 =$$

$$9 + 4 + 0 - 6 + 2 + 2 - 5 =$$

Fiche 6 (suite) Thème 3
Atelier F   **Le parcours de la sorcière** (2ᵉ et 3ᵉ année)

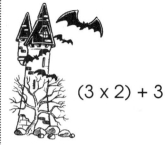 (3 x 2) + 3

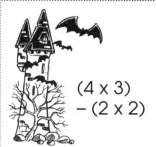 (4 x 3) – (2 x 2)

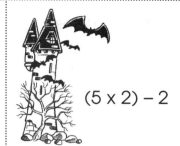 (5 x 2) – 2

 4 + (2 x 2)

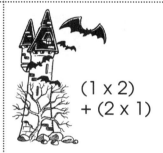 (1 x 2) + (2 x 1)

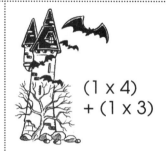 (1 x 4) + (1 x 3)

 8 – 4 + (2 x 3)

 (6 x 2) – 4

 7 + (1 x 7)

 4 + 4 + (1 x 4)

 2 + 2 + (2 x 2)

 10 + (2 x 1)

Marche à suivre

1. Va dans le menu Fich.

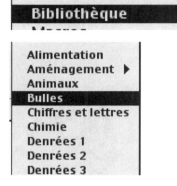

2. Va dans Bibliothèque.

3. Clique sur le mot Bulles.
   Choisis une bulle.

4. Transporte la bulle sur ta feuille.

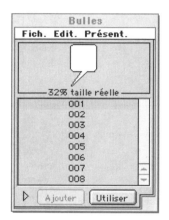

5. Clique sur le mot Halloween.
   Choisis un dessin.

6. Transporte le dessin sur ta feuille.

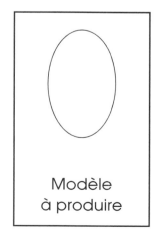

Modèle
à produire

7. Va chercher l'outil Texte.

   Écris ton message secret dans la bulle !

8. Transforme l'apparence des lettres.

9. Place tes dessins.
   Modifie tes dessins.

Agrandir

Diminuer

Dupliquer

Rotation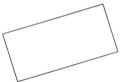

Arrière-plan

Premier plan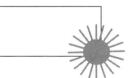

Miroir horizontal

Miroir vertical

Marche à suivre

1. Clique sur Dessin vectoriel.

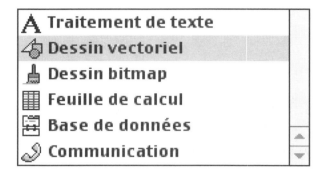

2. Clique sur OK.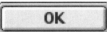

3. Va dans les outils et clique sur le pinceau.

4. Apporte le pinceau sur l'écran.
Clique sur le pinceau et fais glisser la souris pour tracer un rectangle.

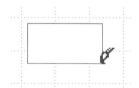

5. Clique à l'extérieur de la fenêtre pour faire apparaître des poignées.

6. Clique sur une poignée.
Agrandis la fenêtre au maximum.

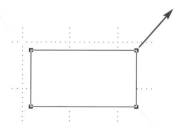

7. Retourne chercher le pinceau.
Clique dans le rectangle.

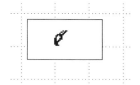

8. La barre d'outils se complète.
Maintenant, tu as les outils bitmap.
Tu fais ton projet dans cette fenêtre.

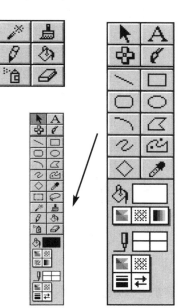

9. Fais ton dessin.

10. Écris ton message.

11. Enregistre ton document. **S**

Marche à suivre pour le diaporama 1

1. Va dans le menu Écran.
   Clique sur Diaporama.

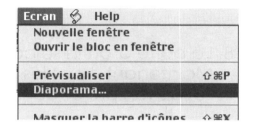

2. Clique sur Taille écran.
   Le projet va prendre
   cette taille.

☑ **Taille écran ⌘T**

3. Clique sur Centrer.
   Le projet va bien
   se centrer sur la page.

☑ **Centrer ⌘K**

4. Clique sur Afficher le pointeur
   si tu désires t'en servir :

☑ **Afficher le pointeur ⌘P**

   – pour pointer des mots lors
     de la présentation ;

   – pour changer les pages.

5. Clique sur Fondu-enchaîné. Le projet va se dérouler devant toi.

☐ **Fondu-enchaîné ⌘E**

6. Clique sur Lecture en boucle. Le projet se déroule devant toi et recommence.

☐ **Lecture en boucle ⌘L**

7. Clique sur Rythme avance. Choisis le nombre de secondes entre chaque page.

☐ **Rythme avance : ⌘R**
   5   **seconde(s)**

8. Clique sur Fond des diapos. Prends une couleur pâle. Ce sera la couleur sur laquelle tu écriras et placeras des illustrations.

 **Fond des diapos**

9. Clique sur Fond de l'écran. Ce sera le contour de tes diapositives.

 Fond de l'écran

Fiche de référence 4 | Thème 3 Atelier H | Activité 2 **Histoire collective**

(Préscolaire, 1re, 2e et 3e année)

Marche à suivre pour le diaporama 2

1. Pour faire démarrer la projection du diaporama, clique sur Début.

2. Pour arrêter la présentation du diaporama, appuie sur la lettre Q.

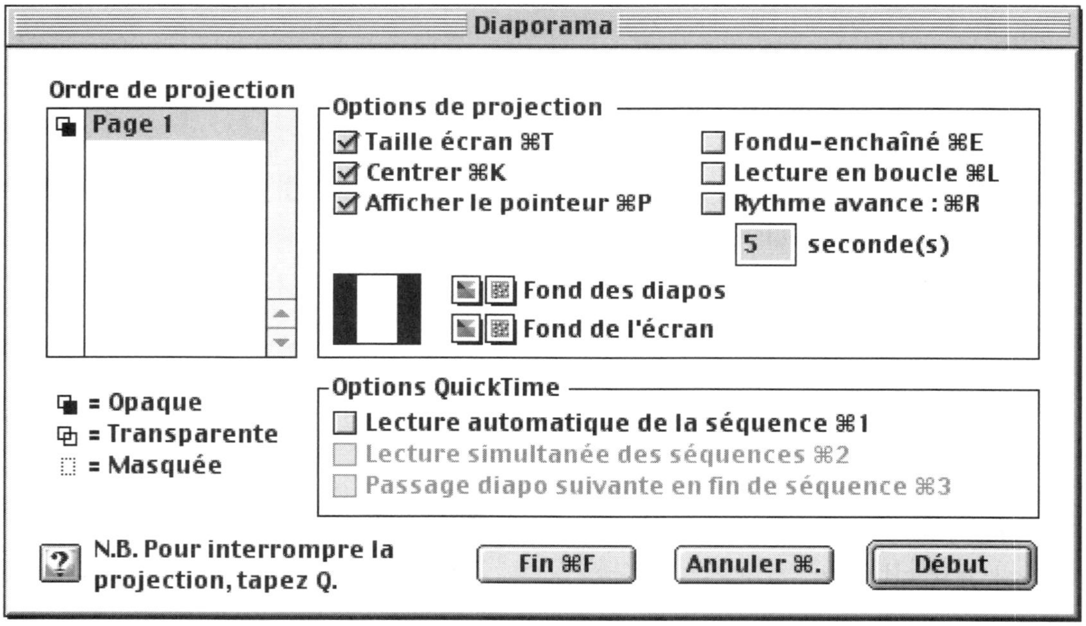

Diaporama
Ordre de projection
Page 1
Options de projection
Taille écran ⌘T
Centrer ⌘K
Afficher le pointeur ⌘P
Fondu-enchaîné ⌘E
Lecture en boucle ⌘L
Rythme avance : ⌘R
5 seconde(s)
Fond des diapos
Fond de l'écran
= Opaque
= Transparente
= Masquée
Options QuickTime
Lecture automatique de la séquence ⌘1
Lecture simultanée des séquences ⌘2
Passage diapo suivante en fin de séquence ⌘3
N.B. Pour interrompre la projection, tapez Q.
Fin ⌘F
Annuler ⌘.
Début

THÈME 4

Un pays magique

En un coup d'œil

Compétences et contenus disciplinaires visés par les ateliers

Compétences transversales

1. D'ordre intellectuel
- Exploiter l'information.

2. D'ordre méthodologique
- Maîtriser certaines technologies de l'information et des communications (TIC).

3. D'ordre personnel et social
- Interagir avec les autres dans le respect de la diversité et de la différence.

Éducation préscolaire
- Mener à terme un projet personnel en utilisant différents langages (verbal, symbolique, artistique).
    - S'engager dans la réalisation de son projet.
    - Appliquer des stratégies pour mener à terme son projet.
    - Porter un jugement sur le projet réalisé.

1re, 2e et 3e année

Mathématique
- Résoudre une situation difficile.
    - Définir les éléments de la situation difficile.
    - Appliquer différentes stratégies en vue d'élaborer une solution.
    - Valider la solution.
    - Partager l'information relative à la solution.

Remarques générales

Ce thème veut amener l'élève à découvrir des stratégies orientées vers la lecture et la création. Les compétences transversales exploitées dans ce thème permettront à l'élève de résoudre des problèmes, d'exploiter sa créativité, de réaliser des projets, de maîtriser l'ordinateur et de découvrir des méthodes de travail efficaces.

Notons que durant l'exploitation de ce thème, il sera important de vivre régulièrement et de différentes façons des objectivations.

Suggestions visant le thème

Ce thème nous transporte au Moyen Âge. Il nous permet d'explorer la magie de cette époque. L'enseignante ou l'enseignant peut en profiter pour faire des lectures à caractère littéraire avec les élèves. On peut créer une ambiance magique en faisant décorer la classe par les élèves.

En ce qui concerne l'atelier H (à l'ordinateur), l'activité 1 est la principale, les autres étant des activités complémentaires.

Déroulement des ateliers

Atelier A : Un masque

À partir de différents matériaux et outils de référence, l'élève crée un masque qui représente un personnage ou un animal du pays magique.

Atelier B : Drôle d'histoire

Une histoire est amorcée en groupe dans la classe. Les élèves doivent la poursuivre jour après jour. À la fin de l'exploitation du thème, toute la classe lira l'histoire.

Éducation préscolaire :

Les élèves illustrent l'histoire. Ensuite, l'enseignante ou l'enseignant l'écrit devant les élèves.

1re, 2e et 3e année :

L'histoire est composée et illustrée par les élèves.

Atelier C : Petits problèmes

Grâce à la lecture et à l'expérimentation, les élèves doivent résoudre des problèmes.

Atelier D : Oh là là ! les nombres !

Éducation préscolaire :

Les élèves doivent compter des objets et représenter les nombres.

1re, 2e et 3e année :

Les élèves doivent comparer, ordonner et représenter des nombres en utilisant des objets, en faisant des dessins, etc.

Atelier E : Un dragon farfelu

Au moyen d'une technique d'arts plastiques (la gouache), les élèves doivent créer un dragon farfelu.

Atelier F : La potion magique

Les élèves auront à vivre une expérience scientifique.

Atelier G : Lecture en duo

Éducation préscolaire et 1re année :

Les élèves doivent associer des mots avec des images.

2e et 3e année :

Les élèves ont accès à différents textes. Chaque élève lit en silence. Ensuite, une ou un élève lit le texte à une ou un autre élève, et vice versa. On poursuit l'atelier en faisant lire les deux élèves ensemble à voix haute. Enfin, on illustre l'histoire.

Présentation de l'atelier à l'ordinateur

Atelier H :

- Activité 1 : Dragor le dragon (cédérom)
- Activité 2 : Va chez Solimène
- Activité 3 : Va à la bibliothèque
- Activité 4 : Va au théâtre de marionnettes
- Activité 5 : Va à la baraque du faiseur de masques

Déroulement des activités à l'ordinateur

Activité 1 : Dragor le dragon (cédérom)

Amorce

Présenter le cédérom *Dragor le Dragon*.

Bienvenue dans le royaume de Dragor ! Le prince Dragor trouve un jour une baguette magique. Ignorant les pouvoirs de cette baguette, il fait un souhait. Cependant, son souhait a pour effet de faire rapetisser sa sœur Étincelle.

Un magicien nommé Solimène vit dans le château. Dragor et Étincelle vont le rencontrer. Solimène trouve la recette de la potion magique qui redonnera sa taille normale à Étincelle, mais il a besoin pour cela de trois ingrédients.

Avec l'aide des élèves, Dragor et Étincelle devront trouver ces trois ingrédients. Les élèves exploreront alors les paysages extraordinaires du royaume des dragons pour découvrir ces ingrédients.

Les élèves de l'éducation préscolaire, de la 1re, de la 2e et de la 3e année peuvent faire cette résolution de problème.

Réalisation de l'activité

Recommandation : Pour les élèves de l'éducation préscolaire et de la 1re année, il faudra vivre le début de l'activité en grand groupe. Ainsi, les élèves se feront une représentation plus juste du cédérom.

Les élèves rencontreront toutes sortes de personnages : le père et la mère de Dragor et Étincelle ; Solimène le magicien ; le garde du château ; une boulangère ; un géant ; un faiseur de masques.

Les élèves se rendront dans toutes sortes d'endroits : un théâtre de marionnettes ; un désert ; une forêt.

Tout le long de l'aventure, les élèves recueilleront et utiliseront divers éléments. Ces éléments se placeront sur un parchemin, qui est toujours présent en bas de l'écran. Les élèves n'auront qu'à cliquer sur les éléments pour qu'ils se retrouvent sur le parchemin.

La liste des éléments à trouver est la suivante : une clé ; des pièces d'or (il est recommandé de ramasser le plus de pièces possible) ; du feu ; un parchemin ; des fruits ; une bouteille ; un cornet.

Les élèves ne devront pas explorer tout de suite les activités qui suivent[1] : écouter les contes à la bibliothèque ; faire des masques ; regarder le théâtre de marionnettes de Marion.

Enfin, ce cédérom ne peut pas être utilisé de façon individuelle, car tous les élèves ne pourraient atteindre la fin de l'expédition.

On peut exploiter ce cédérom en travaillant en coopération. Il est suggéré de former six groupes de quatre ou cinq élèves.

Objectif : redonner à Étincelle sa taille normale. Quelle équipe réussira à atteindre cet objectif ?

Il faut prévoir de 6 à 12 périodes d'ateliers par semaine. Ainsi, les élèves pourront explorer le logiciel une ou deux fois durant la semaine. Étant donné que le thème est échelonné sur une période de trois semaines, les élèves auront le temps d'atteindre l'objectif final.

Retour sur l'activité

Une ou deux fois par semaine, les groupes se rencontrent afin de parler de leur expérience et de permettre au prochain groupe de bien s'orienter. Ils pigent une question dans la boîte à réflexion (Fiche 1).

Ensuite, on fait un retour collectif. Cette période est importante car elle permet aux élèves de mieux orienter leur recherche (faire remplir par les élèves la Fiche d'autoévaluation). Ce cédérom permettra aux élèves de vivre d'autres activités.

(Fiche 1 ; Fiche d'autoévaluation)

Activité 2 : Va chez Solimène

Cette activité permet aux élèves de créer des potions magiques.

(Fiche 2 ; Fiche de consignes 1)

Activité 3 : Va à la bibliothèque

Préscolaire et 1re année :

Les élèves sélectionnent une histoire en cliquant sur un des trois livres. Ils écoutent l'histoire et peuvent suivre les groupes de mots.

2e et 3e année :

Les élèves choisissent une des trois histoires suivantes : *Julot le géant et les abeilles* ; *Les deux trolls* ; *Le royaume des dragons*. Ils remplissent la partie de la Fiche 3 intitulée « Avant de lire l'histoire ». Ensuite, les élèves écoutent ou lisent l'histoire. Puis, ils remplissent la partie de la Fiche 3 intitulée « Après avoir lu l'histoire ».

(Fiche 3 ; Fiche de consignes 2)

---

1. Voir les explications complémentaires et les illustrations dans le livre qui accompagne le cédérom.

Activité 4 : Va au théâtre de marionnettes

Préscolaire et 1re année :

Les élèves assistent aux trois spectacles. Un chat leur donne la consigne. Les élèves décorent la scène et regardent le spectacle.

(Fiche de consignes 3)

2e et 3e année :

Les élèves font comme précédemment. En plus, ils remplissent la Fiche 4. Les élèves doivent trouver un titre au spectacle et illustrer un moment du spectacle qu'ils ont beaucoup aimé.

(Fiche 4 ; Fiche de consignes 4)

Activité 5 : Va à la baraque du faiseur de masques

Préscolaire et 1re année :

Un clown invite les élèves à créer des masques.

(Fiche de consignes 5)

2e et 3e année :

Les élèves créent un masque en suivant les consignes des Fiches 5, 6 ou 7.

(Fiches 5 à 7 ; Fiche de consignes 6)

Fiche 1   Thème 4   Activité 1
Atelier H   **Dragor le dragon**

Penses-tu à faire parler tous les personnages que tu rencontres ?

Décris les symboles que l'on trouve sur la banderole qui se déroule.

De quel outil as-tu besoin pour ouvrir le coffre ?

Comment s'appelle le pain de la boulangère ?

Que peux-tu visiter dans le domaine du château ?

Quels personnages rencontres-tu dans le domaine du château ?

Explique les différents trajets que tu as utilisés.

Est-ce que le sorcier t'a parlé ? Si oui, que t'a-t-il dit ?

Est-ce que tu cliques sur tous les objets ? Que se passe-t-il quand tu cliques ?

Nom : _____

Nomme les signes qui te permettent de voyager.

Que faut-il faire quand les deux têtes de dragons apparaissent à l'écran ?

Sur quoi sont dessinés les ingrédients que tu cherches pour la potion magique ?

Où as-tu découvert des pièces d'or ?

Y a-t-il des endroits qu'il ne sert à rien de visiter ?

Où as-tu trouvé le livre qu'il faut à Solimène ?

Comment s'appellent les trois endroits que Dragor et Étincelle visitent ?

As-tu rencontré des musiciens ? Si oui, que font-ils ?

À quoi sert le feu du dragon pendant ton parcours ?

Fiche d'auto-évaluation | Thème 4 Activité 1
Atelier H **Dragor le dragon**

(Préscolaire,
1re, 2e et 3e année)

1. J'ai travaillé avec :

_____

2. J'ai découvert facilement
les deux indices suivants :

_____

_____

	beaucoup	un peu	pas du tout
3. J'ai persévéré dans mes recherches.			
4. J'ai accepté que ce travail se fasse à long terme.			
5. J'ai posé des questions pour mieux comprendre.			
6. J'ai comparé mes idées avec celles de mes camarades.			

Fiche 2 | Thème 4 Activité 2
Atelier H **Va chez Solimène** | (Préscolaire, 1ʳᵉ, 2ᵉ et 3ᵉ année)

Illustre une recette magique de Solimène.

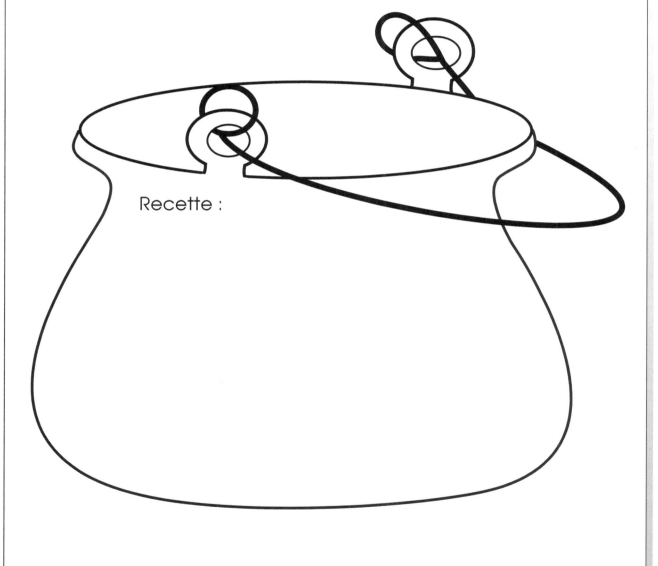

Recette :

Nom : _____

Avant de lire l'histoire

1. Je pense que le livre parlera de :

_____

2. Les personnages principaux seront :

_____

3. Est-ce que je vais aimer l'histoire ?

_____

Après avoir lu l'histoire

1. Où se passe l'histoire ?

_____

2. Quels sont les personnages principaux ?

_____

3. Quel est le problème ?

_____

4. Comment les personnages ont-ils réglé

le problème ?

_____

_____

Nom : _____

Titre : _____

Fiche 5 Thème 4 Activité 5
Atelier H **Va à la baraque du faiseur de masques**
(2e et 3e année)

**Crée le masque du roi
à partir des indices
ci-dessous.**

Le roi

1. Le roi n'a pas de cheveux.

2. Ajoute un nez avec des lunettes.

3. Ajoute deux beaux yeux bleus.

4. As-tu vu sa petite bouche ?

5. Oh là là ! Il porte une barbe très longue.

Fiche 6

Thème 4   Activité 5
Atelier H   **Va à la baraque du faiseur de masques**   (2e et 3e année)

Crée le masque
de la reine à partir
des indices ci-dessous.

La reine

1. La reine a de longs cheveux.

2. As-tu vu son nez ? Il est très long.

3. Ses petits yeux sont mignons.

4. Ajoute une bouche toute petite.

Fiche 7

Thème 4   Activité 5
Atelier H   **Va à la baraque du faiseur de masques**

(2e et 3e année)

Crée le masque du monstre à partir des indices ci-dessous.

Le monstre

1. Le monstre a un gros nez de cochon.

2. Il porte un anneau à son nez.

3. Ses yeux sont bleus.

4. Il a des dents pointues.

5. Ajoute deux cornes enroulées.

| **Fiche de consignes 1** | Thème 4 | Activité 2 | (Préscolaire, |
| | Atelier H | **Va chez Solimène** | 1re, 2e et 3e année) |

Invente des potions
magiques !

| **Fiche de consignes 2** | Thème 4 | Activité 3 | (Préscolaire, |
| | Atelier H | **Va à la bibliothèque** | 1re, 2e et 3e année) |

Écoute les histoires.

| **Fiche de consignes 3** | Thème 4 | Activité 4 | (Préscolaire, |
| | Atelier H | **Va au théâtre de marionnettes** | 1re année) |

Amuse-toi !

Fiche de consignes 4 | Thème 4 Activité 4
Atelier H **Va au théâtre de marionnettes** (2e et 3e année)

Illustre ta scène préférée.

Donnes-y un titre.

Fiche de consignes 5 | Thème 4 Activité 5
Atelier H **Va à la baraque du faiseur de masques** (Préscolaire et 1re année)

Amuse-toi !

Fiche de consignes 6 | Thème 4 Activité 5
Atelier H **Va à la baraque du faiseur de masques** (2e et 3e année)

Prends une fiche,
lis-la et fais le masque.

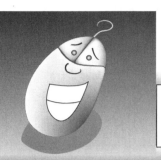

THÈME 5

Le coin de l'écrivain

En un coup d'œil

Compétences et contenus disciplinaires visés par les ateliers

Compétences transversales

1. D'ordre intellectuel
- Faire preuve de jugement critique.
- Exploiter sa créativité.

2. D'ordre méthodologique
- Maîtriser certaines technologies de l'information et des communications (TIC).
- Réaliser des projets.
- Mettre en pratique des méthodes efficaces de travail intellectuel.

3. D'ordre personnel et social
- Interagir avec les autres dans le respect de la diversité et de la différence.

4. D'ordre de la communication
- Communiquer de façon claire, précise et appropriée.

Éducation préscolaire
- Interagir avec les autres de façon harmonieuse.
  - Tenir compte des goûts, des besoins et des champs d'intérêt des autres.
- Participer à la vie du groupe.
  - Collaborer avec les autres élèves.
- Communiquer.
  - Développer des attitudes positives par rapport à la communication.
  - Comprendre un message.
  - Produire un message.
- Mener à terme un projet personnel.
  - S'engager dans la réalisation de son projet.
  - Appliquer des stratégies pour mener à terme son projet.
  - Transmettre les résultats de son projet selon le langage choisi.
  - Porter un jugement sur le projet réalisé.

1re, 2e et 3e année

Français
- Écrire des textes variés.
  - Préparer la production de son texte à l'aide des stratégies appropriées.
  - Rédiger son texte.
  - Réviser son texte.
  - Corriger son texte.
  - Réécrire son texte.
  - Évaluer sa démarche de compréhension.
- Communiquer oralement.
  - Transmettre ses propos à un grand groupe.

Remarques générales

Ce thème amène l'élève à travailler sur la compétence 2 de la section « Programme des programmes » du *Programme de formation* : « Écrire des textes variés ». Ainsi, l'élève développera au cours des ateliers différentes habiletés en communication orale et écrite. Le cédérom *Théo au pays des histoires animées* suscitera de l'intérêt pour l'écriture.

Suggestions visant le thème

Ce thème peut démarrer de différentes manières. Par exemple, on peut inviter une auteure ou un auteur, une illustratrice ou un illustrateur à venir parler de son travail. Il est également possible d'inviter une ou un élève de l'école qui a déjà écrit une histoire. L'élève en question expliquera alors la démarche qui lui a permis de construire son histoire.

Établir avec les élèves un tableau d'habiletés nécessaires pour vivre une situation d'écriture. Voici un exemple de tableau d'habiletés pour la 2ᵉ année :

Écrire des textes variés

1. Préparer sa production écrite.

- Choisir un sujet.

- Trouver des idées.

- Organiser les idées.

2. Rédiger son texte.

- Découvrir d'autres idées.

- Trouver une façon d'écrire un mot nouveau.

3. Réviser son texte.

- Relire le texte.

- Ordonner les mots correctement.

4. Corriger son texte.

- Utiliser la majuscule et le point.

- Écrire correctement les mots.

- Utiliser un lexique pour écrire un mot correctement (on peut utiliser un dictionnaire ou un lexique construit par l'enseignante ou l'enseignant et les élèves).

5. Réécrire son texte.

- Former les lettres convenablement.

Présenter le cédérom *Théo au pays des histoires animées* aux élèves. Ce cédérom est très facile à utiliser.

Déroulement des ateliers

Atelier A : Jeux de mots

Éducation préscolaire :

Faire une boîte aux lettres.

Retirer une lettre de la boîte et trouver un mot qui commence par cette lettre.

2ᵉ et 3ᵉ année :

Faire une boîte aux lettres.

Retirer cinq lettres de la boîte et trouver un mot qui commence par chacune de ces lettres.

Classer par ordre alphabétique tous les mots trouvés.

Puis, pour chacune des lettres, trouver dans le dictionnaire deux mots qui commencent par cette lettre.

Atelier B : Ton écriture

Préscolaire et 1re année :

Trouver les lettres que l'on peut former à partir de différents traits comme | _ /.

Regrouper les lettres selon leurs ressemblances.

2e et 3e année :

Écrire en lettres attachées.

S'exercer. (Aménager un coin à cet effet.)

Atelier C : À la recherche

Préscolaire, 1re, 2e et 3e année :

Demander aux élèves de faire un dessin.

Placer les lettres de l'alphabet dans le dessin.

Faire trouver et nommer les lettres par une amie ou un ami.

Atelier D : Des mots nouveaux

Préscolaire et 1re année :

Choisir un mot affiché dans la classe.

Écrire ce mot sur une grande feuille et l'illustrer.

2e et 3e année :

Choisir un mot au hasard dans le dictionnaire.

Détacher la dernière syllabe ou lettre et former un nouveau mot.

Choisir d'autres mots et procéder de la même manière.

Classer les mots en ordre alphabétique.

Trouver des mots de même famille.

Atelier E : Du courrier

Préscolaire, 1re, 2e et 3e année :

Préparer trois messages pour trois camarades et les mettre dans trois enveloppes.

Distribuer les messages en cachette sur les pupitres des camarades.

Préparer trois surprises (une par camarade).

Placer les surprises sur les pupitres des camarades. Laisser un indice dans les enveloppes afin que les camarades découvrent d'où viennent les surprises.

Atelier F : Un centre d'écriture

Préscolaire et 1re année :

Faire un centre de l'alphabet.

Identifier 26 sacs bruns par chacune des lettres de l'alphabet.

Dessiner ou apporter des objets qui commencent par chacune des lettres pour remplir les sacs.

2e et 3e année :

Mettre sur pied un centre d'écriture.

Y placer des crayons spéciaux, du papier à lettres, des feuilles avec des « trottoirs d'écriture », des télécopies, etc.

Écrire un message à une personne.

Atelier G : La corde à linge

Préscolaire et 1re année :

Installer une corde à linge dans la classe.

Écrire les prénoms d'amies ou d'amis et accrocher ces prénoms à la corde à linge.

2e et 3e année :

Écrire une phrase sur une bande de papier, puis séparer les mots en les coupant avec des ciseaux.

Remettre les mots à une ou un camarade et lui demander de replacer les mots en ordre sur la corde à linge.

Composer une phrase, puis ajouter des adjectifs qualificatifs afin de l'enrichir.

Présentation de l'atelier à l'ordinateur

Atelier H :
- Activité 1 : Fais un abécédaire
- Activité 2 : Écris un livre de devinettes
- Activité 3 : Le livre de la lettre vedette
- Activité 4 : Écoute et écris
- Activité 5 : Le livre personnel

Déroulement des activités à l'ordinateur

Activité 1 : Fais un abécédaire

Préscolaire et 1re année :

Amorce

1. Présenter un abécédaire aux élèves.

2. Faire choisir au hasard une lettre de l'alphabet par chaque élève.

3. L'élève peut aller à l'ordinateur quand sa lettre est la vedette.

Réalisation de l'activité

1. Choisir un décor.

2. Choisir une lettre majuscule et minuscule. Par exemple, A a.

3. Choisir une petite image qui commence par la lettre A.

4. Faire glisser la petite image sur le décor. Placer cette petite image au bon endroit.

5. Agrandir la petite image.

6. Choisir un son pour la page.

Retour sur l'activité

1. Imprimer l'abécédaire.

2. Présenter l'abécédaire aux élèves.

3. Le faire circuler dans les familles.

(Fiche de référence 1 ; Fiche d'autoévaluation 1)

Activité 2 : Écris un livre de devinettes

2e et 3e année :

Amorce

1. Présenter trois objets aux élèves. Les décrire avec eux.

2. Présenter une devinette écrite portant sur un des objets. Faire lire cette devinette au groupe.

3. Préparer une démarche pour construire une devinette avec les élèves. Présenter les images du cédérom en expliquant aux élèves qu'ils doivent choisir une de ces images pour créer leur propre devinette.

Réalisation de l'activité

1. À tour de rôle, les élèves choisissent un décor.

2. Choisir dans l'imagier trois petites images, dont celle qui sera la réponse à la devinette.

3. Faire glisser les petites images sur le décor. Les placer au bon endroit.

4. Agrandir les petites images.

5. Écrire la devinette.

6. Enregistrer la devinette avec le micro afin de la faire écouter et lire.

Retour sur l'activité

1. Présenter les devinettes à la classe et à d'autres groupes d'élèves.

2. Imprimer quelques devinettes et travailler sur les textes avec les élèves.

(Fiche de référence 2)

Activité 3 : Le livre de la lettre vedette

Préscolaire et 1re année :

Amorce

1. Demander aux élèves d'écrire le prénom d'une amie ou d'un ami de l'école.

2. Faire un livre d'images où tous les mots commenceront par la première lettre du nom de cette amie ou de cet ami.

Réalisation de l'activité

1. À tour de rôle, les élèves choisissent un décor.

2. Choisir une petite image dans l'imagier.

3. Faire glisser la petite image sur le décor. La placer au bon endroit.

4. Agrandir la petite image.

5. Écrire le mot.

6. Vérifier le mot. L'élève qui ne sait pas écrire le mot peut consulter le livre d'orthographe.

7. Sauvegarder le texte.

Retour sur l'activité

Offrir le livre à l'amie ou à l'ami choisi.

(Fiche de référence 3)

Activité 4 : Écoute et écris

Préscolaire et 1re année :

Amorce

1. Présenter les petites images aux élèves.

2. Expliquer le fonctionnement du livre d'orthographe.

3. Décrire aux élèves la tâche à réaliser.

Réalisation de l'activité

1. En groupe de deux, choisir une petite image dans l'imagier.

2. Cliquer sur le livre ABC.

3. Écouter et regarder comment s'écrit le mot.

4. Écrire le mot.

Retour sur l'activité

1. Faire une collecte de mots en les affichant sur un babillard ou dans un grand livre par ordre alphabétique.

2. Comparer les mots, les classer, etc.

(Fiche de référence 4)

Activité 5 : Le livre personnel

1re, 2e et 3e année :

Amorce

1. Présenter les différents décors fournis par le cédérom.

2. Présenter les petites images.

3. Préparer une démarche d'écriture avec les élèves.

4. Demander aux élèves de créer une histoire en dyade.

Réalisation de l'activité

En groupe de deux, écrire et illustrer une histoire en suivant les consignes de la Fiche de référence 5.

Retour sur l'activité

1. Aller raconter l'histoire à d'autres élèves de l'école.

2. Faire un rayon spécial dans la bibliothèque pour les histoires animées.

3. Placer l'histoire dans un site Internet.

(Fiche de référence 5 ; Fiche d'autoévaluation 2)

1. Choisis un décor.

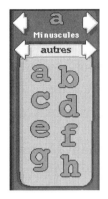

2. Choisis une lettre majuscule
et minuscule dans l'imagier.
Par exemple, A a.

3. Choisis une petite image
qui commence par la lettre A.

4. Fais glisser la petite image
sur le décor.
Place cette petite image
au bon endroit (avec la main).

5. Agrandis la petite image.

6. Choisis un son pour la page.

Fiche d'auto-évaluation 1 | Thème 5   Activité 1
Atelier H   **Fais un abécédaire**   (Préscolaire et 1ʳᵉ année)

Objectif : Prendre conscience de sa connaissance des lettres.

1. Entoure les lettres que tu reconnais et que tu peux nommer.

A B C D E F G H I J K L M N

O P Q R S T U V W X Y Z

a b c d e f g h i j k l m n

o p q r s t u v w x y z

2. Écris ton prénom : _____

Entoure les lettres que tu reconnais et que tu peux nommer.

3. Dessine les lettres que tu ne connais pas.

1. Choisis un décor.

2. Choisis dans l'imagier trois petites images, dont celle qui sera la réponse à la devinette.

3. Fais glisser les petites images sur le décor. Place-les au bon endroit (avec la main).

4. Agrandis les petites images.

5. Écris ta devinette.

6. Enregistre ta devinette avec le micro.

1. Choisis un décor.

2. Choisis une petite image
   dans l'imagier.

3. Fais glisser la petite image sur le décor.
   Place-la au bon endroit (avec la main).

4. Agrandis la petite image.

5. Écris le mot.

6. Vérifie le mot.

7. Sauvegarde le texte.

1. Choisis une petite image dans l'imagier.

2. Clique sur le livre ABC.

3. Écoute et regarde comment s'écrit le mot.

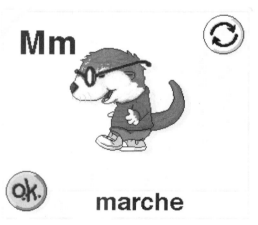

4. Écris le mot.

1. Choisis un décor.

2. Complète le décor. Écoute le bruit de la petite image.
Regarde le mouvement que fait la petite image.

3. Écris ton texte.

4. Sauvegarde ton texte.

5. Clique sur le livre pour aller à la deuxième page.

6. Copie une image ou déplace une page de ton livre.

7. Regarde ton livre défiler.

8. Imprime une page de ton livre ou tout ton livre.

Fiche d'auto-évaluation 2

Thème 5   Activité 5
Atelier H   Le livre personnel

(1re, 2e et 3e année)

Objectif : Évaluer la démarche d'écriture.

Écrire des textes variés

	Je n'ai pas besoin d'aide	J'ai besoin d'un peu d'aide	J'ai besoin de beaucoup d'aide
1. Préparer sa production écrite.			
• Choisir un sujet.	❑	❑	❑
• Trouver des idées.	❑	❑	❑
• Organiser les idées.	❑	❑	❑
2. Rédiger son texte.			
• Découvrir d'autres idées.	❑	❑	❑
• Trouver une façon d'écrire un mot nouveau.	❑	❑	❑
3. Réviser son texte.			
• Relire le texte.	❑	❑	❑
• Ordonner les mots correctement.	❑	❑	❑
4. Corriger son texte.			
• Utiliser la majuscule et le point.	❑	❑	❑
• Écrire correctement les mots (dans un texte).	❑	❑	❑
• Écrire correctement les mots (dans une dictée).	❑	❑	❑
• Utiliser un lexique pour écrire un mot correctement.	❑	❑	❑
5. Réécrire son texte.			
• Former les lettres convenablement.	❑	❑	❑

THÈME 6

Vive les maths !

En un coup d'œil

Compétences et contenus disciplinaires visés par les ateliers

Compétences transversales

1. D'ordre intellectuel
- Exploiter l'information.
- Résoudre des problèmes.
- Faire preuve de jugement.
- Exploiter sa créativité.

2. D'ordre méthodologique
- Maîtriser certaines technologies de l'information et des communications (TIC).
- Mettre en pratique des méthodes efficaces de travail intellectuel.

3. D'ordre de la communication
- Communiquer de façon claire, précise et appropriée.

Éducation préscolaire
- Maîtriser son corps.
  - Exécuter des gestes moteurs globaux et fins.
  - Ajuster ses gestes moteurs aux exigences de l'environnement.
  - Enchaîner des gestes moteurs.
- Affirmer sa personnalité.
  - Développer sa confiance en soi.
  - Faire preuve d'autonomie et prendre des responsabilités.

- Communiquer.
  - Développer des attitudes positives par rapport à la communication.
  - Comprendre un message.
  - Produire un message.

1re, 2e et 3e année

Mathématique
- Résoudre une situation difficile.
  - Décoder les éléments de la situation difficile.
  - Modéliser la situation difficile.
  - Appliquer différentes stratégies en vue d'élaborer une solution.
  - Valider la solution.
  - Partager l'information relative à la solution.
- Actualiser des concepts et des procédures mathématiques.
  - Jongler avec les nombres.
  - Intégrer de façon stratégique des concepts et des procédures mathématiques dans un contexte donné.
- Communiquer à l'aide du langage mathématique.
  - S'approprier le vocabulaire mathématique.
  - Établir des liens entre le langage mathématique et le langage courant.

Remarques générales

Ce thème permet aux élèves, selon leur âge, d'appliquer des concepts mathématiques tout en s'amusant. Les élèves du préscolaire pourront se promener dans la maison de la petite vache Millie et réaliser les jeux mathématiques qui leur sont destinés. Par la suite, ces élèves pourront mettre en pratique quelques notions sur des fiches d'activités. De leur côté, les élèves de 1re, 2e et 3e année se plongeront dans le monde sous-marin. Ils pourront vivre des activités mathématiques appropriées à leur âge en choisissant un niveau d'exécution de 1 à 4. La plupart des ateliers à l'ordinateur s'inspirent de la vie sous-marine.

Suggestions visant le thème

Dans la section « Programme des programmes » du *Programme de formation*, la compétence 4 en mathématique consiste à apprécier la contribution de la mathématique aux différentes sphères de l'activité humaine. Cette compétence sensibilise les élèves à la présence de la mathématique autour d'eux.

Nous vous proposons de profiter de ce thème pour faire découvrir l'histoire de la mathématique, nommer des activités où celle-ci est utile, lire des histoires qui ont un rapport avec des concepts mathématiques et décrire des situations où les technologies servent à la mathématique.

Déroulement des ateliers

Atelier A : Un peu de cinéma

À partir d'une boîte, fabriquer un écran de télévision. À l'intérieur de la boîte, insérer deux rouleaux d'essuie-tout. Sur une bande de papier qu'on enroulera sur les rouleaux, illustrer une histoire concernant une aventure qui se passe au fond des mers.

Atelier B : Le mini-problème

S'inspirer du thème et inventer un problème de mathématique. L'écrire et demander à une ou un camarade de le résoudre.

Atelier C : Sac à surprises

Dans un sac qui contient des objets de la mer, piger un objet. Ensuite, dire ou écrire trois caractéristiques de cet objet.

Atelier D : Une expérience

Faire une expérience avec du bicarbonate de soude et des boules de naphtaline.

Atelier E : La grille magique

Deviner où se trouve un objet caché sur la grille (plan cartésien).

Atelier F : Les poissons

Prendre un livre sur les poissons et écrire les noms de poissons les plus curieux.

Atelier G : Suites logiques

Compléter des suites logiques ou des suites de nombres. Sur des petits carreaux de céramique, l'enseignante ou l'enseignant écrit des nombres ou dessine des objets. Les élèves doivent replacer ces suites de nombres ou suites logiques.

Présentation de l'atelier à l'ordinateur

Atelier H :   - Activité 1 : Voyage au fond des maths
- Activité 2 : La maison de Millie

Le cédérom intitulé *Voyage au fond des maths* propose aux élèves de 1re, 2e et 3e année les activités mathématiques suivantes :

• La calculatrice à poissons (les opérations +, − et × ; la décomposition de nombres)

Cliquer sur le point d'interrogation. Des poissons apparaissent alors.

Prendre la souris et cliquer sur le bon nombre. (On peut aussi utiliser le clavier.)

• La plage des otaries (la valeur des nombres)

Lancer les ballons aux otaries.

• Le parc aux huîtres (le partage des quantités <, > et = ; le terme manquant est abordé au niveau 2)

Enlever ou ajouter des crabes.

• L'école des dauphins (les multiples, niveau 3)

Trouver la bonne réponse.

• La chasse aux formes (apprendre à reconnaître des formes et des suites)

Viser les formes demandées.

• Le marché aux trésors (jouer avec les pièces de monnaie ; en relation avec le jeu des bulles, on ramasse des pièces de monnaie)

Trouver la bonne combinaison d'argent pour l'achat d'un objet.

• Les bulles (opérations mathématiques)

Pendant le jeu des bulles de niveau 1, ramasser des pièces de 1 cent.

Pendant le jeu des bulles de niveaux 2 à 4, ramasser des pièces différentes.

Cliquer sur la bonne bulle.

• Les trésors engloutis (plan cartésien)

Chercher des trésors. Se servir de la boussole pour se diriger et du message à l'écran. Par exemple : N1, soit 1 pas vers le nord.

Faire attention aux mines. Les supprimer avec le bouton rouge. L'élève dirige le sens de la flèche. Le curseur avance seul.

• L'horloge du capitaine (heure)

Niveau 1 : L'élève apprend à lire l'heure en cliquant sur les flèches.

Niveau 2 : L'élève place les aiguilles aux bons endroits pour obtenir l'heure juste.

Niveau 3 : L'élève place l'aiguille de l'heure et celle des minutes.

Ne pas oublier de vérifier la fenêtre, car elle nous situe dans le temps (jour et nuit).

Le cédérom intitulé *La maison de Millie* propose aux élèves de l'éducation préscolaire les activités mathématiques suivantes :

• Petit, moyen et grand

Les élèves doivent associer le personnage avec la bonne grandeur de chaussures. Il y a deux niveaux de difficulté. Au premier niveau, les chaussures sont placées en catégories (petit, moyen, grand) ; au second niveau, elles sont mêlées sur les tablettes.

• La maison de la souris

Les élèves doivent cliquer sur les bonnes formes pour construire la maison de la souris.

• Bing et Boing

Les élèves peuvent compléter des suites de nombres et en inventer.

• La drôle de chenille

Les élèves exécutent la commande demandée. Ils ajoutent des éléments à la chenille.

• La machine à chiffres

Les élèves apprennent à bien reconnaître les chiffres.

• L'usine de biscuits

Les élèves apprennent à compter.

Déroulement des activités à l'ordinateur

Activité 1 : Voyage au fond des maths

Amorce
Expliquer aux élèves que les activités du cédérom sont accessibles à partir du pont d'un sous-marin. Ils doivent écrire leur nom au bon endroit. Ils auront un aperçu des expériences qu'ils pourront vivre durant ce voyage.

On fait apparaître la barre de menus en appuyant sur la barre d'espacement.

Réalisation de l'activité
On peut travailler avec ce logiciel de deux façons.

Première façon

Présenter chacun des jeux au groupe d'élèves. Les élèves explorent chaque endroit d'une période à l'autre.

Deuxième façon

Le but du voyage est d'accumuler 20 poissons, 1 horloge et 6 trésors. Chaque élève visite les différents endroits tout en pensant au défi. Parfois, l'élève doit aller plusieurs fois au même endroit.

Nous suggérons la première façon étant donné le peu d'ordinateurs requis.

On peut explorer d'autres endroits, par exemple, la télévision qui offre 19 possibilités de courtes animations.

Première activité

Choisir une animation et inventer une histoire.

(Fiches 1 et 2)

Deuxième activité

Regarder les 19 animations tout en observant bien les poissons bizarres. Après cette projection, dessiner le poisson favori.

Avec une règle (souple) en centimètres, mesurer la longueur des poissons.

(Fiche 3)

Retour sur l'activité

Faire remplir les Fiches d'autoévaluation 1 et 2 par les élèves. Cela amènera une objectivation de l'activité.

(Fiches d'autoévaluation 1 et 2)

Activité 2 : La maison de Millie

Amorce

Présenter aux élèves la maison de Millie (la maison des mathématiques). Il y a six pièces, donc six jeux à réaliser. Montrer aux élèves les fonctions de base pour qu'ils puissent se promener d'un jeu à l'autre.

Réalisation de l'activité

Les élèves travaillent de façon individuelle avec ce cédérom.

Retour sur l'activité

Faire remplir les Fiches 4 à 7 et les Fiches d'autoévaluation 3 et 4 par les élèves. Faire un échange verbal sur le travail accompli.

(Fiches 4 à 7 ; Fiches d'autoévaluation 3 et 4)

Fiche 1

| Thème 6 | Activité 1 |
| Atelier H | **Voyage au fond des maths** |

(1re année)

Titre ⟩ _____

Auteur ⟩ _____

Début ⟩ _____

_____

_____

_____

_____

Problème ⟩ _____

_____

_____

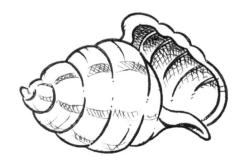

Fin ⟩ _____

_____

_____

_____

Fiche 2

Thème 6 Activité 1
Atelier H **Voyage au fond
des maths**

(2e et 3e année)

Titre _____

Auteur _____

Avant de commencer, pense à la
démarche d'écriture.

_____

_____

_____

_____

_____

_____

_____

_____

_____

_____

_____

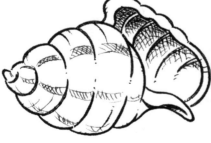

Nom : _____

Écris la mesure de ton poisson préféré en centimètres : _____

Dessine ton poisson.

Fiche d'auto-évaluation 1 Thème 6 Activité 1
Atelier H **Voyage au fond des maths** (1re, 2e et 3e année)

Autoévaluation de la compétence 1
Résoudre une situation difficile

oui   non

1. As-tu fait un survol de l'activité avant de commencer ?

2. As-tu fait des essais et recommencé ?

3. As-tu persévéré pendant la recherche de la solution ?

4. As-tu de la patience pendant une longue activité ?

5. As-tu réussi à trouver des solutions ?

6. As-tu comparé tes solutions avec celles de tes camarades ?

Fiche d'auto-évaluation 2 | Thème 6 Activité 1
Atelier H **Voyage au fond des maths** (1re, 2e et 3e année)

Objectif : J'apprécie les activités du cédérom.

oui   non

- La calculatrice à poissons

- La plage des otaries

- Le parc aux huîtres

- L'école des dauphins

- La chasse aux formes

- Le marché aux trésors

- Les bulles

- Les trésors engloutis

- L'horloge du capitaine

Nom : _____

Petit, moyen et grand

Découpe les dessins de gauche.

Associe-les aux bonnes personnes.

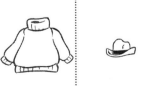

Fiche 5   Thème 6   Activité 2
Atelier H   **La maison de Millie**   (Préscolaire)

Choisis la bonne réponse.

1 + 1

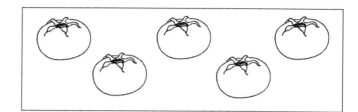

2 + 3

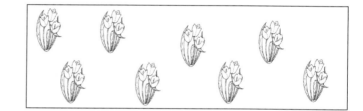

5 + 3

4 + 0

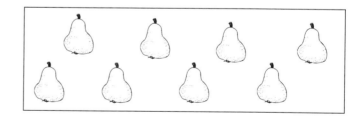

6 + 2

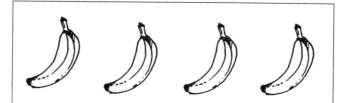

Fiche 6

Thème 6   Activité 2
Atelier H   **La maison de Millie**

(Préscolaire)

Choisis la bonne réponse.

$$5 - 3$$

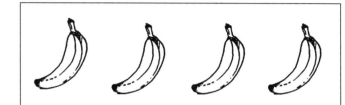

$$3 - 2$$

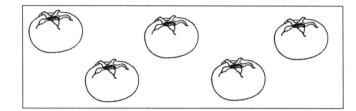

$$7 - 2$$

$$8 - 5$$

$$6 - 2$$

Fiche 7 Thème 6 Activité 2
Atelier H **La maison de Millie** (Préscolaire)

Complète les suites.

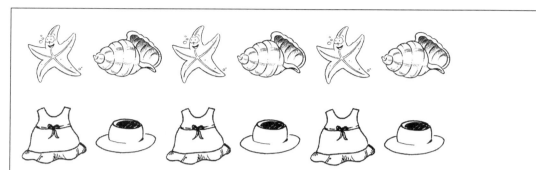

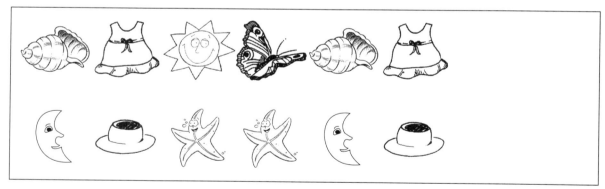

Invente une suite logique.

___ ___ ___ ___ ___ ___

Nom : _____

La maison de la souris

| Évaluation des noms des formes géométriques : carré, triangle, cercle, demi-cercle, rectangle. |

	Facilement	**Avec de l'aide**	**Pas du tout**
L'élève reconnaît et peut nommer :			
• le carré			
• le triangle			
• le cercle			
• le demi-cercle			
• le rectangle			

| Évaluation du concept de taille : petit, moyen et grand. |

	Facilement	**Avec de l'aide**	**Pas du tout**
L'élève différencie :			
• petit, moyen et grand			
L'élève peut associer :			
• le nom de la forme et la taille (exemples : le petit carré, le grand triangle)			

Fiche d'auto-évaluation 4 | Thème 6 | Activité 2
Atelier H | **La maison de Millie**

(Préscolaire)

Objectif : J'apprécie les activités du cédérom.

oui   non

- Petit, moyen et grand

- La maison de la souris

- Bing et Boing

- La drôle de chenille

- La machine à chiffres

- L'usine de biscuits

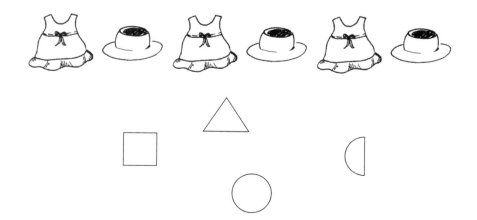

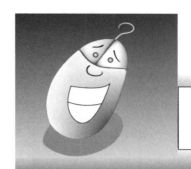

THÈME 7

Bon voyage !

En un coup d'œil

Ateliers :

A	Faire une maquette
B	Une expérience : un volcan
C	Un jeu de serpents et d'échelles
D	Une visite du monde
E	Une chasse au trésor
F	L'exploration
G	La rose des vents
H	À l'ordinateur

– Activité 1 : Le tour du monde
– Activité 2 : Une page de couverture
– Activité 3 : Les animaux
– Activité 4 : Visite d'un site Internet

Compétences et contenus disciplinaires visés par les ateliers

Compétences transversales

1. D'ordre intellectuel
- Exploiter l'information.

2. D'ordre méthodologique
- Maîtriser certaines technologies de l'information et des communications (TIC).
- Réaliser un projet.
- Mettre en pratique des méthodes efficaces de travail intellectuel.

3. D'ordre personnel et social
- Affirmer son identité personnelle et sociale.
- Interagir avec les autres dans le respect de la diversité et de la différence.

4. D'ordre de la communication
- Communiquer de façon claire, précise et appropriée.

2e et 3e année

Français
- Lire des textes littéraires et des textes courants.
  - Construire du sens en cours de lecture à l'aide des stratégies appropriées.
  - Réagir au texte.
  - Bien comprendre l'information.
  - Évaluer sa démarche de compréhension.
- Communiquer oralement.
  - Transmettre ses opinions à l'occasion de discussions en grand groupe.
  - Évaluer sa démarche et sa participation.

Géographie, histoire et éducation à la citoyenneté
- Comprendre des réalités du passé et du présent.
- Reconnaître des points de repère dans l'espace.

Remarques générales

Ce thème permet à l'élève d'explorer d'autres visions du monde. Ainsi, l'élève pourra découvrir ses réactions et ses émotions par rapport à des vécus différents sur la planète.

En faisant les ateliers dans la classe, les élèves approfondiront plusieurs domaines d'apprentissage, soit le français, les arts plastiques, la mathématique, les sciences et la technologie, le développement personnel ainsi que la géographie, l'histoire et l'éducation à la citoyenneté.

Ce thème s'adresse aux élèves de 2e et 3e année.

Suggestions visant le thème

Pour démarrer le thème, on fait une recherche avec le groupe-classe sur le continent européen. Cela permet d'explorer ce continent en grand groupe de la même façon que les autres continents présentés sur le cédérom *Mon premier tour du monde*. La visite commune de ce continent peut faire naître de nombreuses idées intéressantes.

On peut préparer ou aborder le thème de différentes façons :

- Faire un remue-méninges afin de faire ressortir les connaissances des élèves sur les animaux et les peuples vivant sur les différents continents et sur la géographie physique des lieux.

- Aller à la bibliothèque avec les élèves pour y chercher des livres et des revues concernant le projet.

- Présenter un atlas aux élèves.

- Bâtir avec les élèves un échéancier afin de les aider à se situer dans le temps.

- Chaque jour, durant le projet, prendre le temps de lire des informations sur les continents et observer les illustrations qui les accompagnent.

- Montrer une carte du monde aux élèves. Indiquer sur la carte les endroits que les élèves pourront « visiter » lors de ce voyage.

- Présenter dans un premier temps aux élèves les ateliers qui ne se font pas à l'ordinateur.

- Créer une nouvelle bibliothèque, intitulée « Les pays », que les élèves pourront consulter pour créer leur page de couverture.

Déroulement des ateliers

Atelier A : Faire une maquette

Choisir un continent et le présenter sous forme de maquette.

Atelier B : Une expérience : un volcan

Faire une expérience avec du vinaigre, du bicarbonate de soude et du colorant rouge.

Atelier C : Un jeu de serpents et d'échelles

Suivre un parcours de serpents et d'échelles. Lorsque les élèves tombent sur un nombre pair, ils doivent piger une carte et découvrir le périmètre et l'aire de la figure représentée sur la carte.

Atelier D : Une visite du monde

Remplir une carte du monde en y plaçant correctement les personnages, les animaux et certains éléments de la nature. S'assurer que l'on dispose d'atlas pour aider les élèves.

Atelier E : Une chasse au trésor

En situation de lecture, suivre une carte qui représente un trajet dans la classe afin de trouver des mots qui formeront un message ou des lettres qui formeront un mot.

Atelier F : L'exploration

En situation d'écriture, faire l'inventaire de ce que l'on apporte quand on visite la jungle.

Atelier G : La rose des vents

Découvrir les quatre points cardinaux et situer des objets sur une carte.

Présentation de l'atelier à l'ordinateur

Atelier H :
– Activité 1 : Le tour du monde

– Activité 2 : Une page de couverture

– Activité 3 : Les animaux

– Activité 4 : Visite d'un site Internet

Le cédérom intitulé *Mon premier tour du monde* regroupe des activités de lecture, d'écriture, de sciences humaines et de sciences de la nature. Ces activités peuvent s'échelonner sur une période d'environ trois à quatre semaines. Ce cédérom sera utilisé par toute la classe pour les activités de lecture ; de façon facultative, les élèves pourront jouer aux jeux inclus dans le cédérom. Ces jeux sont intéressants car ils font appel au sens de l'observation des élèves et exigent l'application de différentes stratégies pour arriver à une solution.

Voici la liste des jeux ludo-éducatifs que les élèves pourront explorer :

- un labyrinthe ;
- un puzzle ;
- les 7 erreurs ;
- les points reliés ;
- la chasse ;
- la chute de pierres.

Ce cédérom amène les élèves à visiter cinq continents. Sur chacun de ces continents, les élèves peuvent voir des photos de différents endroits avec Clémentine, regarder un film, écouter une histoire, jouer avec Jean-Petit le Clown à un jeu de type « reconnaissance visuelle et sonore » (cris et images d'animaux) et faire du coloriage avec Citron.

Un autre jeu fait partie du cédérom, soit la chasse au trésor.

À la fin de cette activité, il est important que les élèves fassent les autoévaluations touchant à différentes compétences.

Déroulement des activités à l'ordinateur

Activité 1 : Le tour du monde

Amorce

1. Présenter aux élèves le cédérom en leur expliquant brièvement ce qu'ils pourront explorer. Mettre les élèves dans l'ambiance en écoutant le narrateur du cédécom raconter le prologue. Profiter de cette découverte pour indiquer les icônes à utiliser et expliquer les règles à suivre pour faire la recherche. (Ne pas aller sur les sites autres que ceux que les fiches exigent.)

2. Déterminer avec les élèves la façon dont on peut partager le travail ainsi qu'une règle de vie commune. Chaque élève devra tenir un rôle différent : être responsable de la souris ou du ton de la voix, ou agir comme secrétaire ou porte-parole du groupe.

(Affiche 1)

Réalisation de l'activité

Former cinq groupes. Chaque groupe visitera un des continents présentés sur le cédérom. Tout au long de la visite, les groupes devront remplir un document qui les sensibilisera à la recherche. Ce cédérom permet le travail en coopération. Au fil des semaines, les groupes se succéderont à l'ordinateur pour faire le travail de compréhension de texte.

Le travail de recherche suivra la séquence suivante :

- la visite d'un pays, écrite et lue par une personne habitant le continent ;
- la découverte de certains animaux du continent ;
- la visite du continent au moyen de photographies ;
- la projection d'un film sur le continent.

Ce travail de recherche est soutenu par des fiches.

Retour sur l'activité

Chaque groupe devra présenter son document de travail au moyen d'une communication orale. Les autres élèves devront remplir une Fiche d'auto-évaluation pour chacune des présentations. Chaque groupe devra évaluer son travail et chaque élève pourra s'autoévaluer.

(Fiches de recherche 1 à 42 ; Fiches d'autoévaluation 1 à 3)

Activité 2 : Une page de couverture

Amorce

Faire un retour avec les élèves sur l'utilisation du dessin vectoriel d'AppleWorks. Afficher les différentes démarches. Exécuter la démarche qui suit devant les élèves.

1. Cliquer sur l'outil Texte.

2. Faire glisser le curseur à l'écran. Ouvrir un bloc de texte.

3. Écrire le titre.

4. Noircir le titre. Faire un choix de caractères, de grosseur, de style et de couleur.

5. Aller dans Bibliothèque. Cliquer sur Pays. Choisir un dessin (ou plusieurs).

6. Cliquer sur le dessin. Agrandir le dessin ou le rapetisser. Aller dans Objet si on veut transformer le dessin.

7. Retourner cliquer sur l'outil Texte.

8. Écrire les prénoms des membres du groupe.

(Fiches 1 et 2)

Réalisation de l'activité

1. Les élèves de chacun des groupes se font un modèle au brouillon.

2. Les élèves déterminent le rôle de chaque membre du groupe, comme coller les dessins faits dans l'outil Bibliothèque ou écrire.

3. Les élèves réalisent leur page de couverture.

Retour sur l'activité

Placer cette page de couverture au-dessus de la recherche.

Activité 3 : Les animaux

Amorce

Présenter aux élèves les fiches à remplir sur les animaux (Fiches 3 et 4). Présenter la reliure où se fera la collecte de données : « Les animaux du monde ». Montrer aux élèves l'endroit où ils doivent aller sur le cédérom afin d'effectuer ce travail.

Réalisation de l'activité

1. Déterminer le rôle de chaque membre du groupe.

2. Remplir la Fiche 3.

3. Choisir un animal qui est représenté dans les Fiches 4 à 9.

4. Découper l'animal et le coller sur la Fiche 3.

(Fiches 3 à 9)

Retour sur l'activité

Les Fiches sont placées dans une reliure appelée « Les animaux du monde ». Les élèves doivent classer ces Fiches en ordre alphabétique dans la partie réservée à leur continent.

Activité 4 : Visite d'un site Internet

Visiter le site Internet de l'émission pour enfants de Radio-Canada *Bêtes pas bêtes plus* (radio-canada.ca/tv/jeunes/bêtes/courrier.htm).

Note : Si on ne trouve pas ce site, on partira alors à la recherche d'autres sites traitant des animaux. Cette tâche devrait être aisée.

Amorce

1. Montrer aux élèves comment aller chercher le site dans « Signets » ou « Favoris ».

2. Faire voir le site aux élèves en montrant toutes ses possibilités. Ils seront enthousiastes car c'est un site simple à comprendre.

Réalisation de l'activité

1. Choisir le nom d'un animal.

2. Accéder au site, écrire le nom de l'animal et lire les courts textes le concernant.

3. Remplir les Fiches de la reliure si possible.

Retour sur l'activité

Revoir avec les élèves la démarche qu'ils ont dû appliquer lors de l'exploration du site Internet.

Note : On pourrait aussi exploiter les Fiches d'autoévaluation pour clôturer le thème Bon voyage !

Je suis secrétaire.

Je suis porte-parole.

Je suis responsable de la souris.

Je suis responsable de la voix.

Nom : _____

(2e et 3e année)

La carte du monde

Le continent : _____

Fiche de recherche 2 Thème 7 Activité 1
Atelier H **Le tour du monde** (2e et 3e année)

Aleski Mö nous amène au pôle Nord.
C'est un Inuit. Brrr !

L'hiver au pôle Nord dure _____ mois.
Il fait très froid.

Indique la température qu'il fait au mois de novembre,

au Québec  au pôle Nord

Au pôle Nord, les gens portent des vêtements très chauds.
Trouve le nom de ces vêtements.

_____

_____

_____

Les vêtements sont faits avec :

_____

_____

_____

Fiche de recherche 3 | Thème 7   Activité 1
Atelier H   **Le tour du monde** | (2e et 3e année)

Chaque peuple a des ancêtres
et porte un nom.

Complète les données qui suivent.

	Canada	**Pôle Nord**
Ancêtres	Irlandaise, Irlandais, Française, Français	_____ _____
Nom de l'habitante ou de l'habitant	Canadienne, Canadien	_____ _____

Inuit veut dire :

_____

_____

_____

_____

Fiche de recherche 4

Thème 7   Activité 1
Atelier H   **Le tour du monde**

(2e et 3e année)

Il y a deux sortes de peuples : les nomades et les sédentaires.

Les Canadiennes et les Canadiens sont un peuple sédentaire.

Un peuple sédentaire est un peuple qui demeure au même endroit.

Les Inuits sont un peuple _____

parce que ce peuple _____

_____

_____.

Les Inuits habitent trois sortes de maisons au cours d'une année.

Dessine ces maisons, puis nomme-les.

_____   _____   _____

Fiche de recherche 5 | Thème 7   Activité 1
Atelier H   **Le tour du monde**

(2e et 3e année)

Qu'est-ce qu'un igloo ?

Un igloo est une espèce de _____ de neige

géante en forme de _____.

Il est fait en gros _____ de _____.

Son toit est en _____ ou

en _____ de _____.

Fiche de recherche 6 | Thème 7   Activité 1
Atelier H   **Le tour du monde**

(2e et 3e année)

Voici mon réfrigérateur.

Dessine celui des Inuits.

Le père d'Esqui Mö utilise un moyen de transport qui va sur l'eau. C'est le _____.

Pour pêcher, il fait des trous dans la glace.

On ne pêche pas à la ligne.

On pêche avec un _____.

Les femmes inuits confectionnent des vêtements avec des peaux de _____ et de _____.

Fiche de recherche 7 Thème 7   Activité 1
Atelier H   **Le tour du monde**   (2e et 3e année)

Autrefois, on tuait des baleines.

Que faisait-on avec la graisse de baleine ?

On se _____.

Maintenant, la pêche à la baleine est interdite.

Les enfants inuits aiment jouer comme nous.

Le papa inuit fait des jouets avec des os

de baleine ou dans l' _____.

Qui veut imiter le baiser inuit ?

Dessine-le.

Fiche de recherche 8 | Thème 7   Activité 1
Atelier H   **Le tour du monde**   (2e et 3e année)

Une visite guidée au pôle Nord

Lorsque tu vois l'appareil photo,
double-clique sur les icônes suivants :

Un iceberg

Observe la grosseur de ces icebergs.

Une habitante ou un habitant
du pôle Nord y demeure.

Une montagne sur le continent

Tout un paysage !

Oh ! des chiens esquimaux.

C'est tout en hauteur !

Fiche de recherche 9 | Thème 7 Activité 1
Atelier H **Le tour du monde** (2e et 3e année)

Bienvenue au cinéma !

Lorsque tu vois la caméra, double-clique.

Plusieurs sortes d'animaux vont apparaître à l'écran.

Observe bien les paysages.

C'est une visite gratuite au pôle Nord !

Voici la liste des animaux :

- ours polaire

- phoque

- baleine

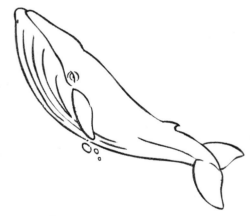

Si tu veux en connaître plus sur ces animaux :

1. Clique sur Clémentine.

2. Lis les fiches.

3. Remplis les fiches.

Fiche de recherche 10 Thème 7 Activité 1 (2e et 3e année)
Atelier H **Le tour du monde**

Lexique

Ancêtre)   Une personne qui a vécu avant nous, à une autre époque.

Confectionner)   Fabriquer des vêtements.

Habitante ou habitant)   Une personne qui habite dans un pays, une ville, une région.

Kayak)   Un moyen de transport sur l'eau, comme un canot.

Nomade)   Une personne qui n'a pas de demeure fixe. Elle habite d'un endroit à l'autre.

Peuple)   Beaucoup de personnes qui habitent le même pays, qui ont les mêmes coutumes.

Sédentaire)   Une personne qui habite toujours au même endroit.

Bison futée, la visiteuse de l'Amérique du Nord, nous emmène visiter une tribu amérindienne d'autrefois.

L'âge de Bison futée était : _____.

Dans le texte, on dit qu'elle avait six _____.

Le père de Bison futée était le _____.

Le père de Bison futée portait le nom de _____.

Le tipi est une tente de _____ et de _____.

Fiche de recherche 12

Thème 7   Activité 1
Atelier H   **Le tour du monde**

(2e et 3e année)

Voici à quoi ressemblait le territoire
des Amérindiennes et des Amérindiens.

Il y avait des _____,

des _____,

des _____,

des _____,

des _____.

Il y a très longtemps, les Amérindiennes et

les Amérindiens vivaient en

_____.

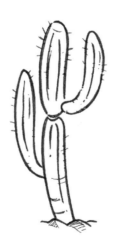

Nom : _____

Fiche de recherche 13

Thème 7 **Activité 1**
Atelier H **Le tour du monde**

(2e et 3e année)

Dessine des Amérindiennes et des Amérindiens qui vivaient :

de la chasse

de la pêche

de l'artisanat

de la cueillette

Fiche de recherche 14   Thème 7   Activité 1

Atelier H   **Le tour du monde**   (2e et 3e année)

Écris le nom de trois tribus
qui existent encore aujourd'hui :

_____   _____   _____

Pour les Amérindiennes et les
Amérindiens, le cheval était un
animal extraordinaire. Il portait
aussi le nom de _____.

Les Amérindiens se déguisaient pour
aller à la chasse.

Les tribus amérindiennes adoraient se déguiser.

Dessine un Amérindien déguisé.

Fiche de recherche 15 | Thème 7 Activité 1
Atelier H **Le tour du monde** | (2ᵉ et 3ᵉ année)

Les Amérindiennes et les Amérindiens se nourrissaient d'un animal qui s'appelle le bison.

Dans le bison, tout est bon : la _____,

la _____, qui nous protège

des hivers terribles, la _____,

la _____, les _____

et les _____.

On appelle les femmes amérindiennes

des _____.

Les femmes amérindiennes étaient très travaillantes.

Voici trois de leurs responsabilités :

_____

_____

_____

Fiche de recherche 16

Thème 7   Activité 1
Atelier H   **Le tour du monde**

(2e et 3e année)

Le frère de Bison futée a fait un cadeau à sa sœur.

C'était un ourson vivant.

L'ourson était l'animal _____

_____ .

Fiche de recherche 17 | Thème 7 Activité 1
Atelier H **Le tour du monde** | (2e et 3e année)

Souvent, durant la nuit, les Amérindiennes et les Amérindiens se réunissaient autour d'un feu.

Ils fumaient le _____ avec le chaman.

Derrière eux, il y avait un totem.

L'enfant amérindien aimait jouer, tout comme nous.

L'enfant amérindien jouait avec de petits os enfilés par une aiguille.

On appelait ce jeu le jeu des _____.

Un sport d'équipe était très à la mode.

Toute la tribu aimait pratiquer ce sport.

C'était la _____.

Fiche de recherche 18 | Thème 7   Activité 1
Atelier H   **Le tour du monde**   (2ᵉ et 3ᵉ année)

Une visite guidée en Amérique du Nord

Lorsque tu vois l'appareil photo,
double-clique sur les icônes suivants :

L'arbre géant

Regarde le gros arbre : c'est un séquoia.
Visite les magnifiques forêts de la région.

Les cactus

Observe les grands déserts des États-Unis.

Les chutes du Niagara

Comme c'est grandiose ! Ces chutes sont dans notre pays,
le Canada. Elles se trouvent dans la province de l'Ontario.
Cette province est située près du Québec.

Les Grands Lacs

Ces étendues d'eau font partie du Canada et des États-Unis.
On les appelle les Grands Lacs.

Un palmier

As-tu vu les plages de l'océan Pacifique ?
C'est splendide !

Fiche de recherche 19 | Thème 7 Activité 1
Atelier H **Le tour du monde** | (2e et 3e année)

Bienvenue au cinéma !

Lorsque tu vois la caméra, double-clique.

Plusieurs sortes d'animaux vont apparaître à l'écran.

Observe bien les paysages.

C'est une visite gratuite en Amérique du Nord !

Voici la liste des animaux :

- aigle à tête blanche
- bison
- ours
- loup
- chien de prairie
- puma

Si tu veux en connaître plus sur ces animaux :

1. Clique sur Clémentine.

2. Lis les fiches.

3. Remplis les fiches.

Fiche de recherche 20 | Thème 7   Activité 1
Atelier H   **Le tour du monde** | (2e et 3e année)

Lexique

Artisanat — Travail manuel, ce qui veut dire travailler avec ses mains.

Calumet — Pipe à long tuyau que les Amérindiennes et les Amérindiens fumaient dans les moments importants.

Chaman — Un Amérindien qui jouait le rôle de sorcier.

Osselets — Petits os séchés.

Peuple — Un grand nombre de personnes qui vivent sur le même territoire.

Poterie — Des contenants faits avec de la terre glaise.

Tipi — La maison des Amérindiennes et des Amérindiens.

Totem — Un objet qui protège le peuple.

Mi Nisumo te fait visiter un pays de l'Asie.

C'est le Japon.

Le Japon est un archipel.

Le mot Japon veut dire : _____

_____ .

Voici trois caractéristiques physiques des Asiatiques.

_____

_____

_____

Au Japon, il y a des lutteurs énormes.

On les appelle des _____ .

Fiche de recherche 22   Thème 7   Activité 1
Atelier H   **Le tour du monde**   (2ᵉ et 3ᵉ année)

Il y a beaucoup de volcans au Japon.

Le _____ est le volcan

le plus important.

Illustre un volcan.

«Vive la nature!» disent les Japonaises et les Japonais.

Chez Mi Nisumo, il y a un petit jardin.

Le père de Mi Nisumo fait pousser

des _____.

La mère de Mi Nisumo fait
de jolis bouquets de fleurs.
Ce sont des _____.

Voici une fleur de lotus :

Fiche de recherche 24 Thème 7 Activité 1
Atelier H **Le tour du monde** (2ᵉ et 3ᵉ année)

Visitons la maison de Mi Nisumo.

Le lit de Mi Nisumo est dans un placard.

On le nomme _____.

Des portes faites en _____

séparent la maison en deux.

Quelle drôle de cuisine !

Les Japonaises et les Japonais ne mangent pas

assis sur des chaises.

Ils mangent _____.

Par terre, il y a des tapis.

Ce sont des _____ .

Pour entrer chez Mi Nisumo,

il faut _____.

Je vous présente le costume

traditionnel du Japon.

Fiche de recherche 25

Thème 7   Activité 1
Atelier H   **Le tour du monde**

(2e et 3e année)

Au Québec, nous faisons des arts martiaux, comme le karaté et le judo.

Au Japon, les enfants étudient les arts martiaux.

Ce sont les _____ qui ont pratiqué les premiers ces sports de combat.

Au Japon, les gens ne connaissent pas Dieu.

Ils connaissent _____.

Fiche de recherche 26 | Thème 7 Activité 1
Atelier H **Le tour du monde** | (2e et 3e année)

Les Japonaises et les Japonais ont fait
de grandes inventions.

Dessine quatre choses qu'ils fabriquent, puis nomme-les.

Fiche de recherche 27 | Thème 7   Activité 1
Atelier H   **Le tour du monde**   (2e et 3e année)

À l'école, Mi Nisumo apprend la calligraphie.

Ici, on écrit en script ou en lettres cursives avec un crayon.

Là-bas, on écrit des lettres

avec un _____ et

de l'_____.

Voici deux expressions. Écris-les en japonais :

Au revoir : _____

Enchanté : _____

Fiche de recherche 28 | Thème 7   Activité 1
Atelier H   **Le tour du monde** | (2ᵉ et 3ᵉ année)

Une visite guidée en Asie

Lorsque tu vois l'appareil photo,

double-clique sur les icônes suivants :

Le grand *torii* rouge

Voici un volcan.

Quel beau jardin japonais !

Une Japonaise portant le costume traditionnel.

La Muraille de Chine

Elle est longue, la Muraille.

Oh ! quel beau palais !

Un enfant chinois.

Le mont Everest

Le mont Everest est la plus haute montagne du monde.

Observe le village.

Un grand-père dans la montagne.

Un sac de thé

Voici des terres agricoles.

Un ancien palais.

Des habitantes et des habitants de l'Inde en bateau.

Fiche de recherche 29 | Thème 7 Activité 1
Atelier H **Le tour du monde** | (2e et 3e année)

Bienvenue au cinéma !

Lorsque tu vois la caméra, double-clique.

Plusieurs sortes d'animaux vont apparaître à l'écran.

Observe bien les paysages.

C'est une visite gratuite en Asie !

Voici la liste des animaux :

- orang-outan

- rhinocéros

- panda

- éléphant

- tigre

- buffle d'Asie

Si tu veux en connaître plus sur ces animaux :

1. Clique sur Clémentine.

2. Lis les fiches.

3. Remplis les fiches.

Fiche de recherche 30 | Thème 7 Activité 1 | (2e et 3e année)
Atelier H **Le tour du monde**

Lexique

Archipel) — Un groupe d'îles.

Arts martiaux) — Sports comme le karaté ou le judo.

Bonsaï) — Un arbre japonais.

Caractéristiques physiques) — Comment est notre visage ou notre corps.

Ikebana) — Un arrangement de fleurs.

Placard) — Armoire dans une pièce, comme une garde-robe.

Sumo) — Lutte japonaise.

Fiche de recherche 31 Thème 7 Activité 1
Atelier H **Le tour du monde** (2e et 3e année)

Les Aztèques vivaient en Amérique du Sud.

Colorie la bonne case.

Le peuple aztèque a été détruit par :

- les Italiens ☐
- les conquistadors espagnols ☐
- les Chinois ☐

il y a _____ siècles.

Complète les phrases.

Les gens de l'Amérique du Sud font la *siesta*.

C'est une _____.

Zoro parle souvent de Conchita.

Qui est-elle ? _____

Quelle est sa caractéristique principale ? _____

Réponds par vrai ou faux.

	vrai	faux
Il fait si chaud que les gens portent un parasol sur la tête.	☐	☐
Il fait si chaud que les gens portent un chapeau sur la tête.	☐	☐
Conchita est la mère de Zoro.	☐	☐
Lors de *fiestas*, on mange des squelettes en sucre.	☐	☐

Fiche de recherche 32 | Thème 7   Activité 1
                 Atelier H   **Le tour du monde**   (2e et 3e année)

Zoro est un métis. Pourquoi ?

a) Parce qu'il est un garçon.

b) Parce qu'il vit dans un pays chaud.

c) Parce que ses ancêtres ont épousé des Espagnoles et des Espagnols.

Voici une pyramide aztèque :

            oui   **non**

Les Aztèques pouvaient-ils aller au sommet de la pyramide ?

Les _____ de Zoro ont construit des pyramides.

Pour ce peuple, la pyramide était un _____.

Cette pyramide était recouverte de _____.

Les pyramides s'élevaient vers le _____.

Vive la *fiesta* !

La *fiesta* est

une grande _____.

Pendant la *fiesta*, les hommes se laissent

tomber comme des _____.

La hauteur de ce poteau est

de _____ mètres.

Fiche de recherche 34 | Thème 7   Activité 1
Atelier H   **Le tour du monde**   (2e et 3e année)

Quand il sera grand, Zoro aimerait être _____

_____

_____ .

Les enfants de ce continent adorent jouer au soccer.

Ce sont des as.

Dessine des enfants qui jouent au soccer.

Fiche de recherche 35 | Thème 7 Activité 1
Atelier H **Le tour du monde**

(2e et 3e année)

Associe chaque phrase à la bonne illustration.

L'artisanat fait partie de la vie de tous les jours du peuple aztèque.

Dans cette région, on fabrique des tapis et des ponchos multicolores.

Au pays des Aztèques, on porte un sombrero pour se protéger du soleil.

Le peuple aztèque aime danser et jouer de la musique. On appelle ces festivités des *fiestas*.

En Amérique du Sud, on porte des masques lors de certaines cérémonies.

Fiche de recherche 36 | Thème 7   Activité 1
Atelier H   **Le tour du monde** | (2e et 3e année)

Une visite guidée en Amérique du Sud

Lorsque tu vois l'appareil photo,
double-clique sur les icônes suivants :

Le grain de café

Tu verras une pyramide et tu admireras un lac,
probablement le lac Titicaca.
Tu rencontreras des habitantes et des habitants
habillés de vêtements colorés.

La flûte de Pan

Tu pourras contempler des neiges éternelles.
Tu découvriras une cité secrète et
tu admireras la vallée de la Lune.

**La baie de Rio de Janeiro ou
le Pain de sucre**

Tu verras l'arc de sable de Copacabana,
le Pain de sucre et la forêt amazonienne.
Tu verras aussi une photo du carnaval de Rio,
le plus important carnaval du monde.

Il y a un pain de sucre près de chez nous. Si tu es originaire
de la région de la Montérégie, tu dois connaître le pain de
sucre du mont Saint-Hilaire.

Fiche de recherche 37   Thème 7   Activité 1
Atelier H   **Le tour du monde**   (2e et 3e année)

Lexique

Ancêtres   Les gens de notre famille qui ont vécu avant nous.

Artisanat   Travail manuel. Cela veut dire travailler avec ses mains.

Aztèques   Personnes qui habitent l'Amérique du Sud.

Fiesta   Une fête.

Métis   Une ou un enfant métis a un père et une mère de couleurs différentes.

Poncho   Couverture rectangulaire avec un trou au centre pour laisser passer la tête.

Siècle   Période de 100 ans.

Sombrero   Chapeau à larges bords.

Fiche de recherche 38   Thème 7   Activité 1
Atelier H   **Le tour du monde**   (2e et 3e année)

Les aborigènes vivent sur le continent océanique.

John Abory est un aborigène.

Il a _____ ans.

Il vit dans un _____ pays, l'Australie.

Son peuple existe depuis _____ ans.

Les tribus portent le nom d'un animal sacré.

John Abory vit dans la tribu des _____.

John Abory sera plus tard un lanceur de _____.

Dessine un javelot.

Voici des animaux d'Australie.

Quels sont-ils ?

_____   _____

Le frère de John Abory est un artiste aborigène.

Choisis ci-dessous le bon mot pour décrire ce qu'il fait :

Il _____ des morceaux d'écorce d'eucalyptus.

Il _____ et décore des outils.

Il _____ des pierres précieuses aux couleurs de l'arc-en-ciel. Ce sont des opales.

Il _____ de la couleur avec de la terre et du charbon de bois.

grave	polit	fait	peint

Dans les fêtes, les aborigènes peignent leur corps avec de l'argile. Ils dansent au son du *didgeridoo*.

Colorie les pierres précieuses.

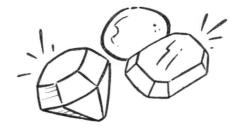

Fiche de recherche 40 | Thème 7   Activité 1
Atelier H   **Le tour du monde**   (2e et 3e année)

Réponds aux questions.

1. Où travaille le papa de John Abory ?

_____

2. Avec quelle arme chasse-t-on le kangourou ?

_____

3. Que fait le frère de John Abory ?

_____

4. Quelle arme a une lame de bois tranchante ?

_____

5. Pourquoi le papa creuse-t-il une nouvelle pièce dans la maison ?

_____

6. Qu'y a-t-il au cœur du désert australien ?

_____

7. Pour quelle activité les aborigènes quittent-ils leur village ?

_____

Nom : _____

Fiche de recherche 41 | Thème 7 Activité 1
Atelier H **Le tour du monde** (2e et 3e année)

Réponds par vrai ou faux.

	vrai	faux
1. Les aborigènes chassent le kangourou.	☐	☐
2. Il fait très froid en Australie.	☐	☐
3. Les aborigènes vivent dans des maisons faites en bois d'eucalyptus.	☐	☐
4. En Australie, il y a un immense rocher bleu.	☐	☐
5. Le surnom de John Abory est Ado.	☐	☐
6. Les aborigènes sont capables de parcourir de grandes distances à pied.	☐	☐
7. Les aborigènes ne pêchent pas.	☐	☐
8. Les aborigènes vivent dans des maisons souterraines.	☐	☐

Fiche de recherche 42 | Thème 7 | Activité 1 | (2e et 3e année)
Atelier H | **Le tour du monde**

Lexique

Aborigènes — Premier peuple australien.

Argile — Terre imperméable servant à la poterie. On dit aussi « terre glaise ».

Boomerang — Arme australienne. Elle est formée d'une pièce de bois dur courbée. Elle revient à son point de départ si son but est manqué.

Didgeridoo — Flûte en bambou.

Eucalyptus — Grand arbre d'Australie à feuilles pointues très odorantes.

Javelot — Arme longue et lourde qu'on lançait à la main.

Marsupial — Mammifère ayant une poche au ventre.

Opale — Pierre précieuse.

Fiche d'auto-évaluation 1 | Thème 7   Activité 1
Atelier H   **Le tour du monde** | (2e et 3e année)

Objectif : Dégager les connaissances acquises
avec le cédérom.

1. Nomme deux pays du continent que tu as visité.

_____

2. Nomme deux animaux du continent que tu as visité.

_____

3. Nomme deux mots que tu ne connaissais
pas avant.

_____

4. Comment s'appelait l'habitante ou l'habitant
du continent qui t'a fait connaître un pays ?

_____

5. Nomme une habitude de vie que tu connaissais peu.

_____

6. Quel est l'endroit le plus merveilleux que tu as découvert ?

_____

Dessine cet endroit.

Nom : _____

Objectif : Apprécier le travail en coopération.

1. J'écris le nom d'une amie ou d'un ami qui m'a donné un coup de main durant le projet. _____

2. Le rôle que j'ai préféré est :

- responsable de la souris ☐
- secrétaire ☐
- responsable de la voix ☐
- porte-parole ☐

3. La règle de vie à l'honneur était :

_____

	beaucoup	un peu	pas du tout
Je l'ai respectée :			
4. J'ai écouté quand une amie ou un ami m'a fait un message.			

5. Mon défi à relever est : _____

_____

Nom : _____

Objectif : Évaluer collectivement la présentation de la recherche.

Le groupe du continent : _____

Le nom des membres de l'équipe : _____

_____

Pendant la présentation	**beaucoup**	**un peu**	**pas du tout**
1. Le groupe a bien présenté son continent. Les idées étaient claires.			
2. Les membres du groupe étaient sérieux et consciencieux.			
3. Le ton de la voix était correct.			
4. Tous les membres du groupe ont joué un rôle actif.			

1. Clique sur l'outil Texte.

2. Fais glisser le curseur à l'écran. Ouvre un bloc de texte.

3. Écris le titre.

4. Choisis l'écriture.

5. Va dans Bibliothèque. Clique sur Pays. Choisis un dessin.

6. Transforme le dessin à ton goût !

7. Retourne cliquer sur l'outil Texte.

8. Écris les prénoms des membres du groupe.

9. Place ce bloc au bas de la page de couverture.

10. Demande au membre responsable de venir voir ton travail.

Fiche 2 | Thème 7   Activité 2
Atelier H   **Une page de couverture**   (2e et 3e année)

Partageons le travail.

Écris le nom du membre de ton groupe
qui sera responsable de chacune
des étapes ci-dessous.

- Écrire le titre : _____

- Choisir l'écriture du titre : _____

- Choisir des dessins dans Bibliothèque :

  _____

- Écrire les prénoms des membres du groupe :

  _____

Fiche 3 | Thème 7   Activité 3
Atelier H   **Les animaux**

(2e et 3e année)

Complète les données qui suivent.

1. Nomme l'animal que tu as choisi. _____

2. Dans quel continent habite-t-il ? _____

3. Quelles sont ses caractéristiques physiques ?

_____

_____

4. Ton animal a-t-il :

- du poil ?   ☐
- des plumes ?   ☐
- la peau lisse ?   ☐
- la peau rugueuse ?   ☐
- des écailles ?   ☐

5. Indique le poids de ton animal.

_____ grammes

_____ kilogrammes

6. Indique sa mesure.

_____ centimètres

_____ mètres

7. Quel est l'habitat de ton animal ?

_____

Fiche 3 (suite)

Thème 7   Activité 3
Atelier H   **Les animaux**

(2e et 3e année)

8. Quelle est sa nourriture ?

_____

9. Ton animal est-il :
   - carnivore ? ☐
   - herbivore ? ☐
   - omnivore ? ☐

10. Ton animal vit-il :
    - en troupeau ? ☐
    - en bande ? ☐
    - en groupe ? ☐
    - seul ? ☐

11. Quelle est sa vitesse de déplacement ?
    _____ km/h

12. Quelle est sa durée de vie ?
    _____ ans

13. Combien de petits peut-il avoir ? _____

14. Colle l'image de ton animal.

Fiche 4 Thème 7 Activité 3
Atelier H **Les animaux** (2e et 3e année)

Amérique du Sud

Toucan

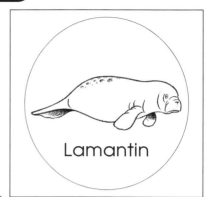

Lamantin

Capybara

Lama

Condor

Jaguar

Fiche 5   Thème 7   Activité 3
Atelier H   **Les animaux**

(2e et 3e année)

Afrique

Girafe

Chimpanzé

Zèbre

Gazelle

Lion

Hippopotame

Fiche 6 | Thème 7   Activité 3
Atelier H   **Les animaux**

(2e et 3e année)

Pôle Nord

Pingouin

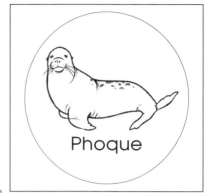

Phoque

Loup

Caribou

Baleine

Ours polaire

Fiche 7 Thème 7 Activité 3
Atelier H **Les animaux**

(2e et 3e année)

Asie

Tigre

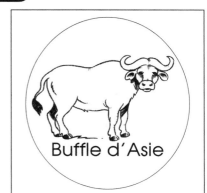

Buffle d'Asie

Orang-outan

Panda

Rhinocéros

Éléphant

Nom : _____

Océanie

Kangourou

Dingo

Koala

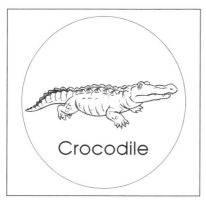

Crocodile

Ornithorynque

Émeu

Fiche 9 | Thème 7   Activité 3
Atelier H   **Les animaux**   (2e et 3e année)

Amérique du Nord

Chien de prairie

Grizzly

Bison

Coyote

Aigle

Puma

THÈME 8

Architectes en herbe

En un coup d'œil

Compétences transversales

D'ordre personnel et social

- Développer l'autonomie et la confiance en soi.
- Interagir avec les autres dans le respect de la diversité et de la différence.
- Participer à la vie du groupe.

Mathématique

- Résoudre une situation-problème portant sur la géométrie.
- Actualiser des concepts dans des situations variées.
- Communiquer à l'aide du langage mathématique.

- Utiliser l'ordinateur pour explorer des concepts mathématiques.
- Décoder les éléments de la situation-problème.
  - Survoler l'ensemble de la situation.
  - Préciser le sens des termes et des symboles mathématiques.
  - Cerner tous les éléments nécessaires à la résolution du problème.
- Appliquer différentes stratégies en vue d'élaborer une solution.
- Établir des liens entre des éléments de l'espace.
- S'approprier le vocabulaire mathématique.

Remarques générales

Ce thème veut amener l'élève à travailler sur certains objectifs mathématiques précis, plus particulièrement dans le domaine de la géométrie, tout en lui permettant de faire une observation attentive de son environnement pour ensuite en reproduire certaines composantes. À la suite de diverses activités de manipulation de formes et de solides géométriques, l'élève introduira une nouvelle facette dans sa découverte de l'espace en utilisant les possibilités offertes par l'ordinateur.

Ce thème permet également à l'élève de développer son sens esthétique. À travers les constructions à réaliser, l'élève devra s'organiser dans l'espace, jouer avec les couleurs et les textures, ajouter un décor qui se marie au type de construction réalisé, etc.

Notons que les ateliers proposés sont organisés de manière à marquer une progression; il est donc recommandé que les élèves les fassent dans l'ordre suggéré. À cause de cela, les élèves ne pourront pas tous commencer à travailler sur ce thème au même moment.

Contenus d'apprentissage

- Figures planes (carré, rectangle, triangle, cercle, losange) : caractéristiques, comparaison et construction, objets de l'environnement.
- Solides (sphère, cylindre, cône, cube, prisme, pyramide) : caractéristiques, comparaison et construction, objets de l'environnement.

Amorce (en grand groupe)

1re année :

Décrire des figures géométriques aux élèves (par exemple, « J'ai 4 côtés égaux », « J'ai trois côtés qui ne sont pas toujours égaux », etc.), puis demander à une ou un élève de faire une description à son tour.

2e année :

Observer une boîte de céréales : As-tu déjà bien observé une boîte de céréales ? Comment est-ce fait ? Pour en construire une, comment t'y prendrais-tu ?

3e année :

Observer d'autres types de boîtes : En usine, sais-tu comment on fabrique les boîtes de mouchoirs en papier, de biscuits, de céréales ?

On peut aussi se promener dans l'école, papier et crayon en main, pour repérer des formes et des solides géométriques dans l'environnement.

Tâches à réaliser lors des ateliers (seule ou seul, en dyade ou en groupe de trois ou quatre élèves)

- Selon le niveau scolaire auquel les élèves se trouvent, elles et ils auront à nommer et à tracer des figures géométriques. De même, les élèves devront nommer, classer, manipuler et comparer des figures planes et des solides.

- Les élèves auront à construire des solides à partir de leur développement, puis à construire des objets à partir de ces solides.

- Ils auront aussi à construire des bâtiments à l'aide du cédérom *L'architecture est un jeu d'enfants*.

Présentation des ateliers

Atelier A : En formes !

Utiliser correctement les termes et les symboles mathématiques.

Nommer et tracer des figures géométriques.

Atelier B : De la forme au solide

Manipuler et observer les relations spatiales.

Établir des liens entre un solide et ses faces.

Utiliser correctement les termes et les symboles mathématiques.

Atelier C : Les objets qui m'entourent

Observer des solides de l'environnement.

Comparer des solides et des figures planes à partir d'objets de la vie quotidienne.

Atelier D : Toutes sortes d'objets

Reconnaître le développement de certains solides.

Construire des solides.

Fabriquer des objets avec des solides en carton.

Atelier E (à l'ordinateur) : Un peu d'architecture

Fabriquer à l'ordinateur des objets avec des figures et des solides.

Construire un ensemble organisé.

Développer le sens de l'espace.

Découvrir des liens entre la mathématique et la vie quotidienne.

Utiliser correctement les termes et les symboles mathématiques.

Atelier F (à l'ordinateur) : Réfléchissons !

Utiliser l'ordinateur pour explorer la notion de réflexion.

Notes concernant l'exploitation du cédérom *L'architecture est un jeu d'enfants*

Conçu par les éditions Gallimard, ce cédérom attrayant et original propose un contenu des plus riches présenté en deux volets, soit *L'espace de construction* et le livre virtuel *L'architecture est un jeu d'enfants*.

Dans le présent thème, nous exploitons *L'espace de construction,* mais l'enseignante ou l'enseignant (de 3e année principalement) qui le désire peut facilement adapter plusieurs textes qui se trouvent dans le livre virtuel afin de les utiliser en lecture ou en sciences humaines avec les élèves. Entre autres, les concepts de base de l'architecture y sont expliqués très clairement, et c'est là un sujet rarement exploité auprès des jeunes du primaire. De plus, cette section de l'ouvrage constitue un excellent moyen d'élargir l'horizon des élèves sur le plan culturel.

Les thèmes proposés sont les suivants : les formes et les éléments architecturaux, le langage de l'architecture, les maisons et les quartiers, les effets spéciaux et l'architecture à travers les âges.

Les palettes d'outils permettant d'effectuer le travail demandé sont faciles à décoder pour les élèves. Cependant, l'enseignante ou l'enseignant peut leur indiquer que s'ils oublient la fonction d'un outil, ils n'ont qu'à cliquer sur le point d'interrogation se trouvant dans le menu principal.

En ce qui concerne les outils Formes, Couleurs et Matières, il serait bon de rappeler aux élèves qu'ils doivent utiliser les flèches situées à l'extrémité des palettes pour avoir accès à de nombreux autres éléments.

Retour sur les activités

Voici le type de questions que l'on peut poser aux élèves afin de leur permettre d'objectiver :

- Raconte-moi comment tu as fait pour...

- Raconte-moi ce que tu as ressenti quand... Quelque chose était-il décourageant ? As-tu reçu de l'aide de tes camarades ?

- Qu'est-il arrivé lorsque tu as essayé telle chose ?

On peut faire comparer le cheminement des élèves en leur posant les questions suivantes :

- Quelles stratégies as-tu utilisées ?

- Quelles découvertes as-tu faites ?

On peut également poser des questions qui amèneront les élèves à relier ces découvertes à leurs connaissances antérieures.

Déroulement des ateliers

Atelier A : En formes !

1re année :

On demande aux élèves de dessiner des figures identiques à celles qui sont représentées et de nommer ces figures. On leur demande également de regrouper des figures.

(Fiche 1)

2e année :

En utilisant des termes mathématiques, les élèves décrivent une figure géométrique à une ou un camarade, qui doit deviner de quelle figure il s'agit.

3e année :

Les élèves font le plan d'une cabane pour un petit animal en utilisant les formes géométriques de leur choix.

Atelier B : De la forme au solide

Dans cet atelier, les élèves utiliseront le jeu éducatif *Architek* selon la démarche proposée par les auteurs. Il s'agit d'une excellente activité pour développer la concentration chez les jeunes élèves.

Avant de commencer, laisser les élèves s'amuser un peu avec les cubes. Puis, en grand groupe, leur faire nommer les figures géométriques servant à construire les différents solides du jeu. Insister sur les noms des différents solides.

1re année :

Les élèves travaillent sur la série des réductions comme préparation aux activités à venir à l'ordinateur.

2e année :

Les élèves travaillent sur la série des réductions comme préparation aux activités à venir à l'ordinateur ; toutefois, le niveau de difficulté augmente.

3e année :

Les élèves peuvent utiliser les modèles en trois dimensions.

Atelier C : Les objets qui m'entourent

Les élèves travaillent à partir d'illustrations découpées dans des catalogues.

1re année :

Les élèves découpent et collent les illustrations en faisant des ensembles avec ce qui glisse, ce qui roule.

2e année :

Les élèves relient chaque solide à l'ensemble de ses faces. Puis, ils dessinent les figures nécessaires pour construire l'objet proposé. Enfin, ils placent ensemble les solides qui font partie de la même catégorie (classement de polyèdres).

(Fiches 2 à 4)

3e année :

Les élèves indiquent de quels solides ils ont besoin pour faire une construction. Puis, ils disent combien de triangles, de carrés et de rectangles il faut pour construire des solides.

(Fiche 5)

Atelier D : Toutes sortes d'objets

1re année :

Les élèves trouvent des ressemblances entre différents objets.

2e année :

Les élèves sont appelés à reconnaître les développements de certains solides.

(Fiche 6)

3e année :

Les élèves utilisent des figures parmi celles qui leur sont présentées pour construire le développement d'un solide. Pour assembler les figures voisines, utiliser du papier adhésif.

Les élèves doivent choisir le développement approprié pour construire deux solides.

Les élèves relient chaque solide à l'ensemble de ses faces.

(Fiches 7 à 9)

Présentation des ateliers à l'ordinateur

Atelier E : Un peu d'architecture

Avant de commencer, présenter brièvement aux élèves le cédérom *L'architecture est un jeu d'enfants*. Expliquer les principaux icônes et démontrer les possibilités du logiciel.

1re année :

Tâche 1

- Choisir un bâtiment simple (une maisonnette, par exemple) en cliquant sur l'icône approprié.

- Demander aux élèves de recouvrir le modèle de maison qui apparaît à l'écran en utilisant les formes géométriques (ils ne doivent pas utiliser les solides), couleurs et textures offertes dans les barres d'outils.

Note : Les élèves se familiarisent ici avec la manipulation de la souris (cliquer, faire glisser) et la sélection d'outils de travail (formes, couleurs).

- Il est possible d'apprendre aux élèves à sauvegarder eux-mêmes leur travail dans le dossier de destination de leur choix en laissant à côté de l'ordinateur une copie de la démarche illustrée au moyen de pictogrammes.

- Lors de l'objectivation, qui peut se faire en groupe, demander aux élèves de nommer les formes géométriques nécessaires à la création du bâtiment ainsi que le nombre de figures de chaque sorte utilisées.

Tâche 2

Cette tâche doit faire l'objet d'un autre atelier.

- Proposer aux élèves de créer un bâtiment de leur choix en n'utilisant que les formes géométriques suivantes : carrés, rectangles (pleins ou dotés de fenêtres ou de portes) et triangles. Ils sont cependant libres d'utiliser les couleurs et les textures désirées. En profiter pour introduire les notions d'esthétique, d'harmonie et d'équilibre dans une composition.

- Lors de cette activité, présenter l'outil Paysage, qui permet d'ajouter une touche originale aux créations des élèves.

- Lorsque le travail est terminé, les élèves remplissent la Fiche 10, où on leur demande quelles formes géométriques ils ont utilisées dans leur création.

(Fiche 10)

2e année :

Tâche 1

- Insérer la Fiche Ferme 2 dans une pochette protectrice en plastique transparent et la placer à côté de l'ordinateur.

- Demander aux élèves de reproduire la ferme à l'écran, sur une page vierge, en n'utilisant que des figures géométriques. Les couleurs et les textures sont laissées à leur discrétion.

- Préciser aux élèves le dossier de destination dans lequel leur travail doit être sauvegardé.

- Lors de l'objectivation, qui peut se faire en groupe, demander aux élèves de nommer les formes géométriques nécessaires à la création du bâtiment ainsi que le nombre de figures de chaque sorte utilisées.

Tâche 2

Cette tâche doit faire l'objet d'un autre atelier.

- Proposer aux élèves d'inventer un bâtiment de leur choix en utilisant les formes géométriques suivantes : carrés, rectangles (pleins ou dotés de fenêtres ou de portes) et triangles, ainsi que ces trois types de solides : cônes, cylindres et sphères (réunion de deux demi-sphères). Les élèves sont libres d'utiliser les couleurs et les textures désirées. En profiter pour introduire les notions d'esthétique, d'harmonie et d'équilibre dans une composition.

- Préciser aux élèves le dossier de destination dans lequel leur travail doit être sauvegardé.

- Lors de cette activité, présenter l'outil Paysage, qui permet d'ajouter une touche originale aux créations des élèves.

- Lorsque le travail est terminé, les élèves remplissent la Fiche 11, où on leur demande de dessiner et de nommer les formes et les solides géométriques qu'ils ont utilisés dans leur création ainsi que le nombre d'éléments de chaque sorte.

(Fiche 11)

3ᵉ année :

Tâche 1

- Insérer la fiche Maison 3 dans une pochette protectrice en plastique transparent et la placer à côté de l'ordinateur (Affiche 1).

- Demander aux élèves de reproduire la maison à l'écran, sur une page vierge, en n'utilisant que des figures géométriques. Les couleurs et les textures sont laissées à leur discrétion.

- Préciser aux élèves le dossier de destination dans lequel leur travail doit être sauvegardé.

- Cette activité permet aux élèves de se familiariser avec différents outils du logiciel *L'architecture est un jeu d'enfants.*

Tâche 2

Cette tâche doit faire l'objet d'un autre atelier.

- Proposer aux élèves de créer un château en utilisant n'importe lequel des solides ou figures géométriques proposés. Les élèves sont libres d'utiliser les couleurs et les textures désirées. En profiter pour introduire les notions d'esthétique, d'harmonie et d'équilibre dans une composition.

- Préciser aux élèves le dossier de destination dans lequel leur travail doit être sauvegardé.

- Lors de cette activité, présenter l'outil Paysage, qui permet d'ajouter une touche originale aux créations des élèves.

- Lorsque le travail est terminé, les élèves remplissent la Fiche 12.

- Lors de l'objectivation, demander aux élèves de nommer les figures ou les solides servant à créer des colonnes, des arches, le haut des tourelles, etc.

(Fiche 12)

Atelier F : Réfléchissons!

2e et 3e année

- En utilisant un acétate électronique ou l'écran de télévision plutôt que celui de l'ordinateur pour faire la projection, faire observer au groupe les pages 12 à 17 du livre virtuel *L'architecture est un jeu d'enfants*. Quel est le point commun entre ces bâtiments? Que signifie l'expression «une construction dont le côté droit est la réflexion du côté gauche»?

- Aller voir la maison la plus simple à la page 28, puis des maisons plus complexes aux pages 29 à 32. Faire relever des exemples de réflexion.

- À l'aide des outils offerts dans *L'espace de construction,* demander aux élèves de réaliser une construction symétrique.

Fiche 1

Thème 8
Atelier A　**En formes !**

1. Dessine une figure identique à
chacune des deux figures ci-dessous.
Nomme-les.

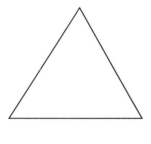　　t_____　　　　　r_____

2. Quelles formes pourrais-tu regrouper ?
Pourquoi ?

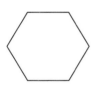　　　

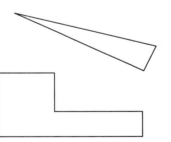　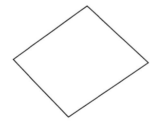　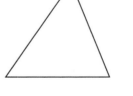　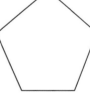

Fiche 2

Thème 8
Atelier C   **Les objets qui m'entourent**   (2e année)

Relie chaque solide
à l'ensemble de ses faces.

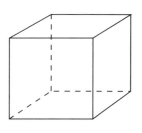 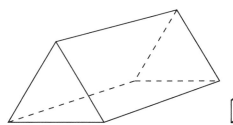 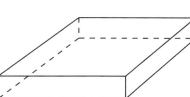

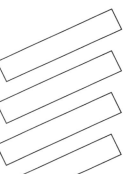  

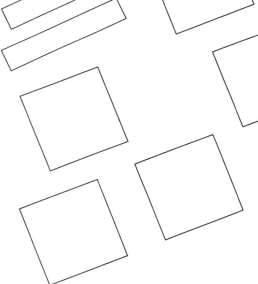

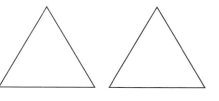  

Fiche 3

Thème 8
Atelier C   **Les objets qui m'entourent**   (2e année)

Dessine les figures nécessaires
pour construire chacun des solides.

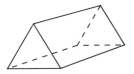

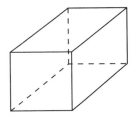

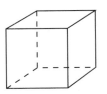

Fiche 4

Thème 8
Atelier C **Les objets qui m'entourent** (2e année)

Quels solides placerais-tu ensemble ?

Pourquoi ?

_____

_____

_____

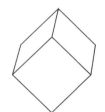
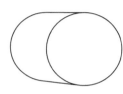
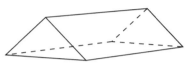
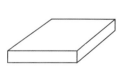
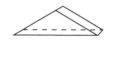

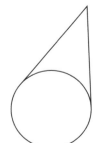
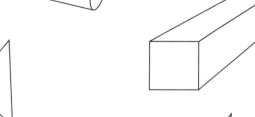

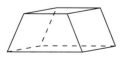

Fiche 5

1. De quels solides as-tu besoin pour
   réaliser cette construction ?

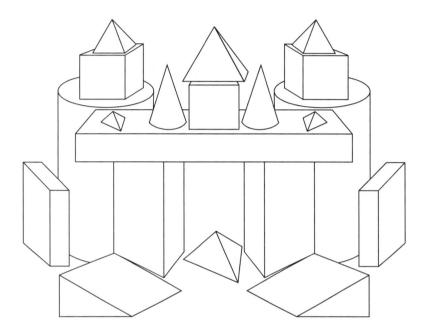

Noms des
solides utilisés

_____

_____

_____

_____

_____

_____

2. Pour construire les solides ci-dessous, combien faut-il de

   a) triangles _____ ?

   b) carrés _____ ?

   a) triangles _____ ?

   b) rectangles _____ ?

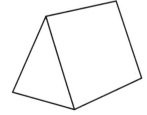

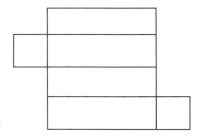

Nom : _____

Fiche 6

Thème 8
Atelier D   **Toutes sortes d'objets**

(2e année)

Voici les développements de certains solides.
Les reconnais-tu ?
Relie chaque solide à son développement.

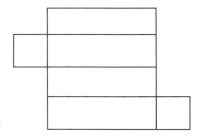

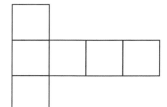
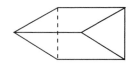
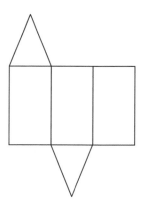
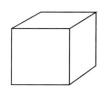

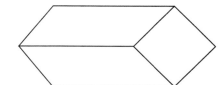

Fiche 7

Thème 8
Atelier D   **Toutes sortes d'objets**

(3e année)

Utilise les figures nécessaires pour
construire le développement
du solide suivant :

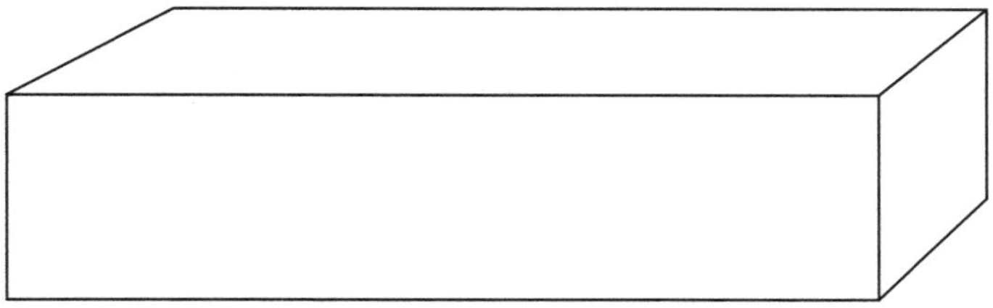

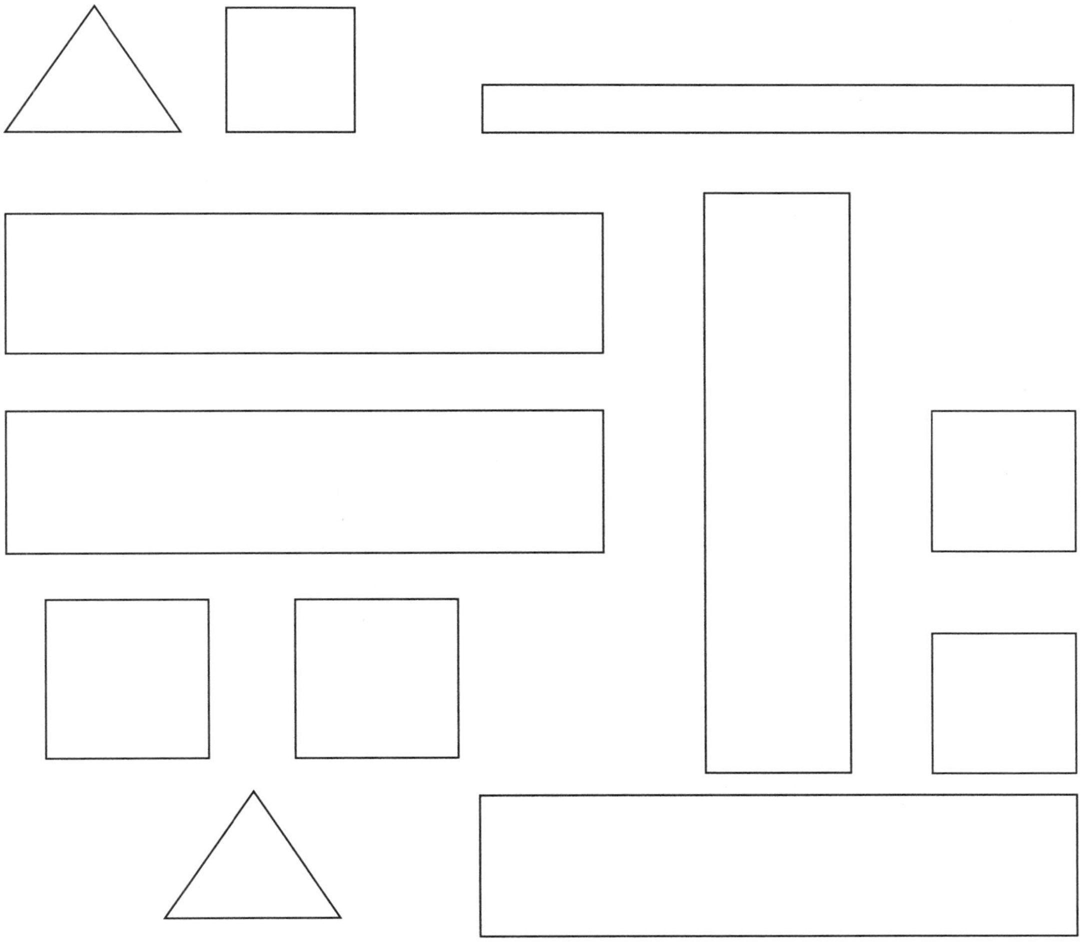

Fiche 8

Trace un X sur le développement
nécessaire pour construire le solide a).

Fais de même pour le solide b).

a)

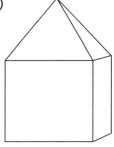

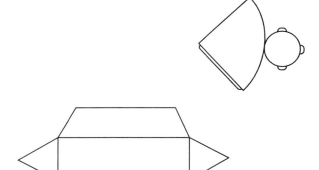

b)

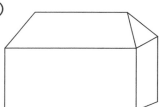

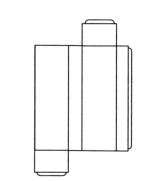

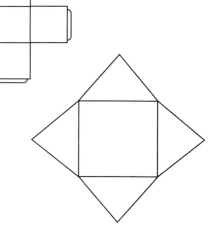

Nom : _____

Relie chaque solide à l'ensemble
des figures nécessaires pour le construire.

a)

1

2

b)

3

c)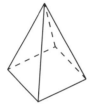

4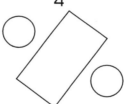

d)

5

e)

6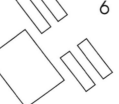

f)

Nom : _____

Dessine maintenant le bâtiment
que tu as créé à l'ordinateur.

Combien de figures géométriques
de chaque sorte as-tu utilisées ?

_____

_____

_____

Fiche 11

Thème 8
Atelier E   **Un peu d'architecture**

(2e année)

1. Dessine et nomme les figures et les solides que tu as utilisés pour ta création à l'ordinateur.

2. Combien de figures et de solides de chaque sorte as-tu utilisés?

carré _____   _____ _____

_____ _____   _____ _____

_____ _____   _____ _____

Fiche 12 Thème 8
Atelier E **Un peu d'architecture** (3e année)

1. Dessine et nomme les figures et les solides que tu as utilisés pour ta création à l'ordinateur.

2. Combien de figures et de solides de chaque sorte as-tu utilisés ?

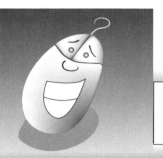

PARTIE 3

Des sites à exploiter

Dans cette section, 32 sites ont été analysés afin de vous permettre de trouver rapidement des ressources à exploiter dans le cadre de votre enseignement. Certains de ces sites n'ont pas été pensés comme ressources didactiques au départ; cependant ils ont été retenus pour leur intérêt et leurs possibilités d'utilisation en classe ou pour les renseignements pédagogiques qu'ils contiennent.

Les adresses ainsi que les contenus des sites Web de cette section sont sujets à changement sans préavis.

Aglomerius

Adresse : http://www.aglomerius.com/index1.htm

Auteurs : collaboration franco-québécoise

Niveaux : préscolaire, primaire

Matières : maths, français, arts

Nature du site : éducatif

Activités ou scénarios pédagogiques :

● oui   ○ non

Qualité du français :

○ médiocre   ○ bonne   ● excellente

Utile à : enseignants, élèves

Fréquentation (élève seulement) :

○ plutôt difficile   ○ bien, avec consignes précises   ● facile

Intérêt ou utilisations possibles : en plus de toutes les autres ressources, possibilité de télécharger de courtes activités de français et de mathématique

Contenu : nombreuses ressources éducatives, textes théoriques sur divers aspects de la pédagogie et de la didactique, forums, sélection de sites intéressants, activités de lecture et d'écriture, section divertissement

Animaux du parc safari

Adresse : http://www.parcsafari.qc.ca

Auteurs : Parc Safari

Niveaux : 1er et 2e cycles du primaire

Matière : sciences de la nature

Nature du site : visite virtuelle du parc

Activités ou scénarios pédagogiques :

○ oui   ● non

Qualité du français :

○ médiocre   ● bonne   ○ excellente

Utile à : enseignants, élèves

Fréquentation (élève seulement) :

○ plutôt difficile   ● bien, avec consignes précises   ○ facile

Intérêt ou utilisations possibles : photographies ; descriptions détaillées ; cris de 80 espèces d'animaux

Contenu : 80 fiches d'animaux ; possibilité de poser des questions à des experts ; jeu-questionnaire sur les animaux ; dessins d'animaux ; le chargement est long ; les cris des animaux peuvent être entendu avec Real Audio Player

APAME

Adresse :
http://station05.qc.ca/Partenaires/APAME/Accueil.html

Auteurs : APAME

Niveaux : tous

Matière : maths

Nature du site : didactique

Activités ou scénarios pédagogiques :

● oui   ○ non

Qualité du français :

○ médiocre   ○ bonne   ● excellente

Utile à : enseignants, élèves

Fréquentation (élève seulement) :

○ plutôt difficile   ○ bien, avec consignes précises   ● facile

Intérêt ou utilisations possibles : association qui vise à promouvoir l'avancement de l'enseignement de la mathématique au primaire ; l'évolution constante de la psychologie et de la pédagogie est considérée ; problèmes stimulants pour les élèves et nombreux outils très riches pour les enseignants

Contenu : informations, publications, nouvelles, revue de l'association, suggestions de problèmes accompagnées de notes pédagogiques, infos sur le nouveau programme, horaire de sessions de formation, sommaire des revues *Instantanés mathématiques,* suggestions de sites intéressants en maths, section « Place aux élèves » où les élèves répondent aux problèmes, textes de réflexion, congrès, programme de maths à télécharger, fichiers contenant des listes d'activités à réaliser avec AppleWorks

AQUOPS

Adresse : http://www.aquops.qc.ca

Auteurs : Association québécoise des utilisateurs de l'ordinateur au primaire et au secondaire (AQUOPS)

Niveau : ne s'applique pas

Matières : TIC et éducation

Nature du site : pédagogique

Activités ou scénarios pédagogiques :

● oui   ○ non

Qualité du français :

○ médiocre   ○ bonne   ● excellente

Utile à : enseignants

Fréquentation (élève seulement) :

ne s'applique pas

Intérêt ou utilisations possibles : plusieurs menus permettent des recherches selon le niveau, la matière, la plate-forme utilisée ; à noter : les scénarios proposés doivent être achetés ; ils sont toutefois complets et prêts à être utilisés en classe

Contenu : informations sur le colloque annuel de l'AQUOPS ; nombreux textes sur les enjeux des TIC en éducation ; accès aux articles publiés dans la revue *Le Bus* et dans celle de la CEQ ; concours : « Le français dans Internet » ; outils de recherche

Bêtes, pas bêtes +

Adresse: http://radio-Canada.ca/jeunesse

Auteurs: Radio-Canada

Niveau: primaire

Matières: français, sciences de la nature

Nature du site: ludo-éducatif

Activités ou scénarios pédagogiques:

● oui   ○ non

Qualité du français:

○ médiocre ○ bonne ● excellente

Utile à : enseignants, élèves

Fréquentation (élève seulement):

○ plutôt difficile ○ bien, avec consignes précises ● facile

Intérêt ou utilisations possibles: nombreux animaux à découvrir; source fiable pour des recherches et réponses aux questions des enfants grâce, entre autres, à la collaboration de vétérinaires

Contenu: l'animal de la semaine à découvrir à l'aide d'indices; Bêtes express : l'équipe répond aux questions; devinettes pour tester ses connaissances sur l'environnement et en apprendre plus sur l'eau, l'air, la terre et l'air; charades et parcours qui amènent à diverses destinations, voyages à travers le monde avec les animaux; Mon animal favori : l'enfant peut se retrouver dans Internet avec son animal favori à condition d'envoyer une photo et d'expliquer pourquoi il s'agit de son animal préféré; fiches techniques sur de nombreux animaux

Click Souris

Adresse: http://www.multimania.com/clicksouris

Auteure: Axelle

Niveaux: préscolaire, 1er et 2e cycles du primaire

Matières: principalement le français

Nature du site: ludo-éducatif

Activités ou scénarios pédagogiques:

● oui   ○ non

Qualité du français:

○ médiocre ○ bonne ● excellente

Utile à : enseignants, élèves

Fréquentation (élève seulement):

○ plutôt difficile ○ bien, avec consignes précises ● facile

Intérêt ou utilisations possibles: lecture interactive pour les enfants de 4 à 8 ans; présentation attrayante pour de jeunes enfants; permet à l'enfant de participer activement au récit

Contenu: nombreuses histoires interactives : adaptations d'histoires de Pomme d'Api ou compositions de l'auteure du site; jolies comptines et poésies; liens vers d'autres sites d'histoires sur lesquelles on clique; chaque histoire fait appel à la créativité de l'enfant, qui a la possibilité d'imaginer sa propre version du récit

CEMIS

Adresse: http://www.grics.qc.ca/cemis

Auteurs: Centres d'enrichissement en micro-informatique scolaire; partenaires : Gestion des réseaux informatiques des commissions scolaires (GRICS), ministère de l'Éducation du Québec (MÉQ)

Niveaux: tous

Matières: toutes

Nature du site: expertises multiples en micro-informatique scolaire

Activités ou scénarios pédagogiques:

● oui   ○ non

Qualité du français:

○ médiocre ● bonne ○ excellente

Utile à : enseignants

Fréquentation (élève seulement):

ne s'applique pas

Intérêt ou utilisations possibles: formation et sensibilisation aux TIC en contexte scolaire, points de rayonnement dans les régions du Québec; liens vers de nombreux sites proposant des scénarios pédagogiques intéressants; centre de références; compte rendus sur diverses expérimentations

Contenu: recettes technologiques (trucs et astuces); liste des écoles branchées; liens vers les sites de 31 CEMIS régionaux et 4 nationaux; rubriques « Quoi de neuf ? » et archives de ces rubriques; plans des écoles; bottin; etc.

De l'œuf à l'insecte

Adresse: http://www.cs-renelevesque.qc.ca/primaire/œuf_insecte/index.html

Auteurs: cs rene-levesque

Niveau: primaire

Matière: sciences de la nature

Nature du site: information et découverte

Activités ou scénarios pédagogiques:

● oui   ○ non

Qualité du français:

○ médiocre ● bonne ○ excellente

Utile à : enseignants, élèves

Fréquentation (élève seulement):

○ plutôt difficile ○ bien, avec consignes précises ● facile

Intérêt ou utilisations possibles: informations simples et pertinentes sur les insectes; textes courts et faciles à lire

Contenu: sur le site général, plusieurs activités proposées par le personnel de diverses écoles; banque comprenant de nombreux projets : l'œil, l'arbre, l'alimentation, la transformation du bois, le sport à l'école, etc.; sur l'insecte : les parties, la reproduction, le cycle de vie, l'utilité, la migration

Dis papa

Adresse : http://perso.wanadoo.fr/dit_papa

Auteurs : ne s'applique pas

Niveau : primaire

Matières : toutes

Nature du site : ludo-éducatif

Activités ou scénarios pédagogiques :

○ oui ● non

Qualité du français :

○ médiocre ○ bonne ● excellente

Utile à : enseignants, élèves

Fréquentation (élève seulement) :

○ plutôt difficile ○ bien, avec consignes précises ● facile

Intérêt ou utilisations possibles : un papa répond aux nombreuses questions que se posent les enfants ; cherche à éveiller la curiosité et la réflexion chez les enfants

Contenu : questions réparties par thèmes : sciences et techniques, Univers, Terre, homme, monde animal, etc. ; possibilité de voter pour les questions à traiter en premier parmi les envois des jeunes ; humour intéressant dans la façon de traiter les questions

Grand monde du préscolaire

Adresse : http://prescolaire./grandmonde.com/

Auteurs : ministère de l'Éducation du Québec (MÉQ)

Niveau : préscolaire

Matières : arts, musique, français, maths, sciences de la nature

Nature du site : ressources pour enseignants du préscolaire

Activités ou scénarios pédagogiques :

● oui ○ non

Qualité du français :

○ médiocre ○ bonne ● excellente

Utile à : enseignants

Fréquentation (élève seulement) :
ne s'applique pas

Intérêt ou utilisations possibles : ressources didactiques commentées, scénarios d'intégration de matières, suggestions d'activités stimulantes, guide d'intégration des TIC

Contenu : banque de ressources destinées au préscolaire : activités intéressantes, idées de lectures, lien vers le site jeunesse de Radio-Canada, etc.

Henri Dès

Adresse : http://www.henrides.com

Auteurs : ne s'applique pas

Niveaux : préscolaire, 1er et 2e cycles du primaire

Matières : français, arts rythmiques

Nature du site : ludo-éducatif

Activités ou scénarios pédagogiques :

● oui ○ non

Qualité du français :

○ médiocre ○ bonne ● excellente

Utile à : enseignants, élèves

Fréquentation (élève seulement) :

○ plutôt difficile ○ bien, avec consignes précises ● facile

Intérêt ou utilisations possibles : superbe solution de rechange à la culture américaine ; poèmes faits de paroles de tous les jours qui plaisent beaucoup aux enfants

Contenu : informations sur l'idole des enfants : biographie, critiques, discographie, club ; sa vie, ses préoccupations, ses amis, ses plaisirs ; paroles de chansons illustrées par des dessins d'enfants, partitions, concours de dessin

La bande sportive

Adresse : http://www.bandesportive.com/

Auteur : Yves Potvin

Niveaux : préscolaire, primaire

Matières : éducation physique et éducation à la santé

Nature du site : pédagogie et sports

Activités ou scénarios pédagogiques :

● oui ○ non

Qualité du français :

○ médiocre ○ bonne ● excellente

Utile à : enseignants, élèves

Fréquentation (élève seulement) :

○ plutôt difficile ○ bien, avec consignes précises ● facile

Intérêt ou utilisations possibles : site très riche concernant une matière peu présente au sein des sites éducatifs ; excellente initiative et contenus de qualité

Contenu : ressources en éducation physique, santé et pédagogie ; exemples de carnavals d'hiver, de cours de Noël pour les jeunes enfants, spectacle en 5 tableaux, projets spéciaux, activités de coopération, système d'émulation, etc. ; liste de diffusion, bavardage pédagogique, suggestions d'ateliers de perfectionnement pour les enseignants, réflexions, débats, outils de travail proposés par d'autres enseignants, liens intéressants sur le sport, coin des jeux, opinions, cartes postales virtuelles, casse-tête sportif, etc.

La petite ferme

Adresse: http://www.station05.qc.ca/csrs/ferme

Auteurs: Commission scolaire de la région de Sherbrooke, A. Houle et A. Vaillancourt, enseignants, Y. Durnin, Service des ressources éducatives, E. Godin, illustrateur

Niveau: premier cycle

Matière: français

Nature du site: activités de lecture et d'écriture

Activités ou scénarios pédagogiques:

● oui   ○ non

Qualité du français:

○ médiocre ○ bonne ● excellente

Utile à: élèves

Fréquentation (élève seulement):

○ plutôt difficile ○ bien, avec consignes précises ● facile

Intérêt ou utilisations possibles: environnement thématique (mondes animal et végétal) permettant de faire le lien entre les TIC et la réalité de l'enfance

Contenu: site interactif où l'enfant lit seul de petits textes et les associe à des illustrations; rédaction de nouvelles phrases également

N. B.: La façon d'associer le texte à l'image devrait être précisée (avec la souris, glisser le texte dans la boîte réservée à cette fin).

Le cercle enchanté

Adresse: http://www.station05.qc.ca/css/cercle

Auteurs: Agathe Dionne, C.P., et Yvan Lessard, CEMIS Commission scolaire des Sommets

Niveau: préscolaire

Matière: univers des signes propres aux différents langages

Nature du site: construction de connaissances au préscolaire

Activités ou scénarios pédagogiques:

● oui   ○ non

Qualité du français:

○ médiocre ○ bonne ● excellente

Utile à: enseignants, élèves

Fréquentation (élève seulement):

○ plutôt difficile ○ bien, avec consignes précises ● facile

Intérêt ou utilisations possibles: découverte du concept de nombre par le biais de jeux et pistes d'exploitation dans les diverses matières

Contenu: série de 30 problèmes simples à résoudre (qui pourront être suivis de tâches plus complexes proposées par les enseignants); notes explicatives de grande qualité pour les enseignants (propositions d'interventions éducatives, information sur la pensée préopératoire); superbes illustrations de Marie-Hélaine Benoit

Le grand petit théâtre

Adresse: http://www.aei.ca/~matou/marionnettes/grand

Auteurs: Le Matou noir

Niveau: primaire

Matières: français, arts

Nature du site: ludo-éducatif

Activités ou scénarios pédagogiques:

○ oui   ● non

Qualité du français:

○ médiocre ○ bonne ● excellente

Utile à: élèves

Fréquentation (élève seulement):

○ plutôt difficile ○ bien, avec consignes précises ● facile

Intérêt ou utilisations possibles: site au contenu original, riche et très intéressant pour les élèves du primaire; devrait bientôt contenir également des documents à télécharger pour s'amuser et apprendre; peut servir de base à un thème sur la marionnette dans le cadre d'un cours de français ou d'arts plastiques

Contenu: textes informatifs agrémentés d'illustrations et de photos sur l'art de la marionnette autrefois et aujourd'hui, la marionnette chez les peuples du monde entier, les héros de l'histoire de la marionnette, les castelets, le rôle du scénographe, d'un menuisier; gazette portant sur la marionnette, foire aux questions, bibliographie, forum, liens intéressants vers des sites sur la marionnette et divers sites pour les enfants, concours

Le Net des cartables

Adresse: http://cartables.net

Auteurs: ne s'applique pas

Niveaux: divers

Matières: diverses

Nature du site: didactique

Activités ou scénarios pédagogiques:

● oui   ○ non

Qualité du français:

○ médiocre ○ bonne ● excellente

Utile à: enseignants

Fréquentation (élève seulement):

ne s'applique pas

Intérêt ou utilisations possibles: coopération de trois enseignants ayant la passion de l'éducation, de l'information et de la communication; propositions d'idées et d'outils pour l'école d'aujourd'hui et de demain

Contenu: possibilité de recherche documentaire et de liens pour la classe; gazette; messages et annonces; salle des maîtres: liste de diffusion, activités de plusieurs matières à télécharger

L'infobourg

Adresse : http://www.infobourg.qc.ca

Auteurs : Septembre Média

Niveau : ne s'applique pas

Matières : ne s'applique pas

Nature du site : outil conçu pour faciliter la navigation dans le cyberspace éducatif

Activités ou scénarios pédagogiques : ne s'applique pas

Qualité du français :

○ médiocre ○ bonne ● excellente

Utile à : enseignants

Fréquentation (élève seulement) :

ne s'applique pas

Intérêt ou utilisations possibles : site essentiel pour être au courant de ce qui se passe dans le domaine des TIC et de l'enseignement ; présentation de points de vue variés ; espace de discussion pour les enseignants ; répertoire critique des sites éducatifs francophones.

Contenu : chroniques quotidiennes destinées aux intervenants en éducation ; bulletin hebdomadaire ; archives ; liens vers des textes riches et vers d'autres sites essentiels ; tribune publique ; évaluation de plus de 200 sites éducatifs

Premiers pas dans Internet

Adresse : http://www.momes.net

Auteurs : imaginet

Niveaux : préscolaire, primaire

Matières : ne s'applique pas

Nature du site : ressource didactique

Activités ou scénarios pédagogiques :

○ oui ● non

Qualité du français :

○ médiocre ○ bonne ● excellente

Utile à : enseignants, élèves

Fréquentation (élève seulement) :

○ plutôt difficile ○ bien, avec consignes précises ● facile

Intérêt ou utilisations possibles : histoires écrites par des enfants et pour des enfants ; concours de chasse aux fautes ; jeu virtuel contre d'autres internautes

Contenu : liste de discussion ; correspondance scolaire ; suggestions de magazines, films, livres, cédéroms ; dictionnaire encyclopédique pour chercher un mot ou pour envoyer des définitions ; voyages : renseignements sur de nombreuses régions ; textes variés, récits, photos ; présentation de musées et d'expositions ; chansons et comptines avec paroles et musique ; idées offertes par plusieurs écoles

Petit monde

Adresse : http://www.petitmonde.qc.ca

Auteurs : gouvernement du Québec

Niveaux : préscolaire, 1er cycle du primaire

Matières : ne s'applique pas

Nature du site : information, ressources et services

Activités ou scénarios pédagogiques :

○ oui ● non

Qualité du français :

○ médiocre ● bonne ○ excellente

Utile à : enseignants, élèves, parents

Fréquentation (élève seulement) :

○ plutôt difficile ○ bien, avec consignes précises ● facile

Intérêt ou utilisations possibles : réseau francophone regroupant des gens qui s'intéressent à l'enfance et à la famille

Contenu : touche à des sujets d'intérêt sur la famille et les petits, plus d'une douzaine de sections : annuaire de ressources, forum de discussion, boutique de produits pour enfants, échange de questions et réponses avec des spécialistes de différents domaines, 2 magazines électroniques destinés aux familles et aux professionnels

Profenligne

Adresse : http://www.cssh.qc.ca/coll/profenligne

Auteurs : ne s'applique pas

Niveaux : primaire, secondaire

Matières : toutes

Nature du site : assistance pédagogique pour enseignants et élèves

Activités ou scénarios pédagogiques :

● oui ○ non

Qualité du français :

○ médiocre ● bonne ○ excellente

Utile à : enseignants

Fréquentation (élève seulement) :

ne s'applique pas

Intérêt ou utilisations possibles : assistance pédagogique en ligne quelques heures par jour : possibilité de faire corriger un devoir, de poser des questions à des enseignants en ligne ; les enseignants peuvent conclure des ententes de collaboration avec des enseignants en ligne : on invite les enseignants à venir déposer des exercices classés par niveaux et objectifs du programme ciblé ; possibilité d'échange d'idées et d'opinions grâce à l'Agora de Profenligne ; perfectionnement offert aux enseignants : Internet pour débutants, intermédiaires ou avancés, Logiciels de mise en pages Web, Courrier électronique, L'évaluation et les élèves utilisant Internet

Contenu : banque d'exercices, dictées, jeu-questionnaire, concours, journal, travaux pratiques, foire aux questions, forum, bavardage

Prof-Inet

Adresse : http://www.cslaval.qc.ca/

Auteurs : ministère de l'Éducation du Québec, Commission scolaire Chomedey de Laval, Quebec English School Network

Niveau : ne s'applique pas

Matières : ne s'applique pas

Nature du site : soutien aux enseignants sur l'intégration pédagogique d'Internet

Activités ou scénarios pédagogiques :

● oui   ○ non

Qualité du français :

○ médiocre   ○ bonne   ● excellente

Utile à : enseignants

Fréquentation (élève seulement) :

ne s'applique pas

Intérêt ou utilisations possibles : veut favoriser l'intégration d'Internet aux activités d'enseignement et d'apprentissage ; apport d'exemples d'activités, de démarches et de modèles pour intégrer Internet ; pistes de réflexion ; informations pratiques

Contenu : tour d'horizon d'Internet ; ressources pour acquérir de nouvelles connaissances au sujet d'Internet ; sensibilisation et information sur l'intégration d'Internet aux activités de classe ; outils concrets pour la correspondance et la collaboration ; information technique sur les principales procédures nécessaires pour mener à bien ses projets

Ricochet

Adresse : http://www.ricochet-jeunes.org

Auteurs : Centre international d'études en littérature de jeunesse

Niveau : primaire

Matière : français

Nature du site : ressource didactique

Activités ou scénarios pédagogiques :

○ oui   ● non

Qualité du français :

○ médiocre   ○ bonne   ● excellente

Utile à : enseignants

Fréquentation (élève seulement) :

ne s'applique pas

Intérêt ou utilisations possibles : rencontre entre littérature jeunesse, images et TIC ; réseau pour la création et la recherche en littérature jeunesse

Contenu : suggestions de classiques pour la bibliothèque idéale ; corpus avec informations et commentaires, liens vers d'autres notices se rapportant à l'œuvre ; informations sur les auteurs et les illustrateurs ; atelier ; adresses : ressources Web, éditeurs, institutions, etc. ; suggestions d'articles critiques ; suggestions de films pour la jeunesse

Rescol

Adresse : http://www.rescol.ca

Auteurs : Industrie Canada

Niveaux : primaire et secondaire

Matières : toutes

Nature du site : plate-forme électronique offrant des ressources et des activités télématiques éducatives

Activités ou scénarios pédagogiques :

● oui   ○ non

Qualité du français :

○ médiocre   ○ bonne   ● excellente

Utile à : enseignants, élèves

Fréquentation (élève seulement) :

○ plutôt difficile   ● bien, avec consignes précises   ○ facile

Intérêt ou utilisations possibles : offre du soutien financier pour des projets Web en classe ; a comme objectif de réunir élèves et enseignants dans leur appropriation des nouvelles technologies ; recherche de ressources éducatives

Contenu : collections de sites créés par des jeunes ; possibilité d'échanger avec des experts et divers intervenants en éducation de partout dans le monde ; banques d'idées et d'activités pédagogiques ; nouvelles sur l'actualité éducative des écoles branchées des différentes provinces canadiennes

Vivrélire

Adresse : http://www3.sympatico.ca/rboisvert

Auteurs : ne s'applique pas

Niveaux : primaire et secondaire

Matière : français

Nature du site : service de consultation et d'animation de la lecture

Activités ou scénarios pédagogiques :

○ oui   ● non

Qualité du français :

○ médiocre   ○ bonne   ● excellente

Utile à : enseignants, élèves

Fréquentation (élève seulement) :

○ plutôt difficile   ○ bien, avec consignes précises   ● facile

Intérêt ou utilisations possibles : grande variété de titres ; résumés des ouvrages suggérés ; réflexions sur la lecture ; on sent la préoccupation de faire découvrir la littérature jeunesse et de partager cette passion ; services d'une professionnelle pour faire de l'animation en lecture pour votre classe ou pour vous conseiller

Contenu : bibliographies sur des sujets choisis ; titres récemment parus et particulièrement intéressants ; suggestions de sites où il est question de livres ; ouvrages moins récents qui valent le détour ; commentaires ; résumés des ouvrages retenus

Bibliographie

ARPIN, Lucie et Louise CAPRA. *Être prof, moi j'aime ça*, Montréal, Chenelière/McGraw-Hill, 1994.

BROUILLET, Yves, Pierre HAMELIN, Michelyne LORTIE-PAQUETTE, Claude PAQUETTE et Louise ST-HILAIRE. *Activités ouvertes d'apprentissage*, Victoriaville, Éditions NHP, 1981.

EVANS, Joy et Jo Ellen MOORE. *Affiches et feuilles à reproduire* (*Le corps humain, Les planètes*), Ontario, Scholastic, 1991.

FOURNIER, Sylvie, Murielle LAROCHELLE et Michel LUPPENS. *Activités d'animations*, Les Éditions du Raton Laveur.

GAOUETTE, Denise. *En-tête*, Montréal, Éditions du Renouveau Pédagogique, 1994.

GIASSON, Jocelyne. *La lecture. De la théorie à la pratique*, Boucherville, Gaëtan Morin Éditeur, 1995.

GIASSON, Jocelyne et Jacqueline THÉRIAULT. *Apprentissage et enseignement de la lecture*, Montréal, Éditions Ville-Marie, 1983.

HOPE, Jack et Marian SMALL. *Interactions/Activity Cards*, Montréal, Chenelière/McGraw-Hill, 1994.

LE PAILLEUR, Monique et Jean-François PICHER. *Drôles de jeux de mots*, Montréal, Centre Éducatif et Culturel, 1990.

OUELLET, Lisette. *Quand les enfants s'en mêlent*, Montréal, Chenelière/McGraw-Hill, 1996.

MINISTÈRE DE L'ÉDUCATION DU QUÉBEC. *Programme de formation de l'école québécoise*, Québec, 1999.

TORESSE, Bernard. *Comment apprendre à lire aux enfants de 6-7 ans?*, Paris, Hachette, 1988.

Liste des cédéroms et des logiciels utilisés dans les thèmes

- AppleWorks : dessin bitmap, traitement de texte, dessin vectoriel, base de données, feuille de calcul, diaporama.

- *Bérengère n'a peur de rien*, par Kevin Henkes, Living Books et Kevin Henkes, 1996.

- Créateur Junior KID PIX, The Learning Compagny Inc. et ses licenciés, 1999.

- *Dragor le Dragon*, Broderbund, Capitol Multimedia, 1996 (logiciel) ; Broderbund Software, 1996 (emballage).

- *L'architecture est un jeu d'enfants*, Gallimard Jeunesse, MPO The Voyager Company, 1996.

- *Les animaux*, Hachette Éducation, Encyclopédie Hachette Multimédia Junior.

- *Millie's Math House*, IONA Software Limited.

- *Mon premier tour du monde*, Korom.

- *Théo au pays des histoires animées*, IONA Software Limited.

- *Voyage au fond des maths*, Studio Explomédia, Sanctuary Woods Multimedia et Magic Quest, 1994-1995.